VIE

DU CHEVALIER

DE FAUBLAS.

TOME VII.

DE L'IMPRIMERIE D'ÉVERAT.

*Là ! là ! mon poulet, ne sortez pas
du lit, je voulait seulement savoir
où vous étiez...*

VIE

DU CHEVALIER

DE FAUBLAS,

PAR

LOUVET DE COUPVRAY.

NOUVELLE ÉDITION,

ORNÉE DE GRAVURES.

TOME VII.

PARIS,

CORBET, LIBRAIRE,

QUAI DES AUGUSTINS, Nº. 63.

1821.

LA
FIN DES AMOURS
DU CHEVALIER
DE FAUBLAS.

———

Pour se faire une idée juste des furieux transports de la comtesse, il ne suffiroit pas d'être aussi violente, aussi emportée qu'elle; il faudroit encore avoir brûlé d'un feu pareil à celui qui la dévoroit. D'abord l'excès de l'étonnement suspendit l'excès de la rage; mais le calme effrayant fut court et l'explosion terrible. Je vis madame de Lignolle frissonner et pâlir; tout son corps parut ensuite agité d'un mouvement convulsif, et soudain le cou se gonfla, les lèvres tremblèrent, l'œil s'enflamma, le visage se colora d'un violet pourpre : la pauvre enfant voulut crier, et

ne fit entendre que de sourds gémisse-
mens ; ses pieds frappèrent le carreau, son
foible poignet se meurtrit sur les meubles;
elle s'arracha les cheveux, elle osa même,
elle osa porter une main sacrilége sur sa
charmante figure, d'où le sang s'échappa
bientôt par plusieurs égratignures. Quel
malheur pour elle et pour moi ! Je n'ai pu
prévoir ce cruel effet de son désespoir.....
Épuisé que je suis, je trouve pourtant la
force d'abandonner mon lit, j'essaie de me
traîner jusque auprès d'elle ! l'infortunée
ne m'aperçoit seulement pas ! elle s'est
élancée vers la porte ; et, d'une voix étouf-
fée : Qu'on me la ramène, dit-elle, que je
me venge !... que je la déchire !... que je
la tue ! — Éléonore ! ma chère Éléonore !
—Elle m'entend, se retourne, et me voit
au milieu de l'appartement ; hors d'elle-
même, elle accourt : Tu veux la suivre ?
Eh bien ! va donc, va, perfide, et que je
ne te revoie jamais !.... Qui peut te retenir encore ? Elle t'attend, elle attend
le prix de ses scélératesses. Va jouir avec
elle de ma honte, de ton ingratitude et
de son infamie. Va, cours, mais songe

bien que si je puis vous trouver ensemble, je vous immole tous deux !

Elle avoit saisi mon bras, qu'elle se-couoit de toutes ses forces ; je tombai sur mes genoux et sur mes mains. Un cri lui échappa ; ce n'étoit plus un cri de fureur ! Déjà la colère avoit fait place à la crainte. Éléonore, comment peux-tu penser qu'en cet état je songe à la suivre ?....... je vou-lois aller jusqu'à toi, mon amie, je voulois me justifier, te demander pardon, essayer de te consoler......... Éléonore, écoutez-moi, calmez-vous, je vous en supplie !.... surtout, pour l'amour de moi, pour l'amour de toi-même, épargne tant de charmes, épargne cette peau fine et blanche, et ces petites mains si douces, et cette longue chevelure, et ce visage plein d'attraits ! O toi, que l'amour fit exprès si jolie, garde-toi d'altérer l'un de ses plus charmans ouvrages ! Respecte mille appas formés pour ses caresses et ses délicieux plaisirs.

Quand on a, par malheur, fâché sa maîtresse, il faut chercher à l'apaiser tout de suite ; et quiconque se sent, en cette occurrence, incapable d'agir, doit au moins parler. Il doit, ne pouvant mieux faire, suppléer aux vives caresses, par les éloges passionnés, et prêter au discours flatteur toute la chaleur qu'il eût mise dans l'action consolatrice. Voilà ce que l'amour ordinairement conseille, et ce qu'il m'inspira. Que ce fût seulement cela qui calma la comtesse, je ne saurois l'affirmer positivement. Il me paroit aussi très-plausible que la crainte, après avoir chassé la colère, amena la compassion, et que ma sensible amie, touchée de ma situation plus que de mes paroles, oublia ses injures en voyant mes dangers. Quoi qu'il en soit, si je doutai de la cause, je ne pus douter de l'effet. Madame de Lignolle me releva, me soutint, me fit rentrer dans mon lit; puis s'étant assise auprès, elle se pencha sur moi, et se cacha le visage dans mon sein, qu'elle arrosa de ses larmes.

Au bruit que fit madame de Fonrose en rentrant, la comtesse changea d'attitude. Eh! bon dieu! comme la voilà faite! s'écria son amie; puis, en lui promenant un mouchoir sur la figure, elle ajouta:

Madame, je vous l'ai dit cent fois, une jolie femme peut, dans son désespoir, pleurer, gémir, crier, gronder ses gens, tourmenter ses femmes, quereller son amant et désespérer son mari ; mais elle doit toujours, se respectant elle-même, ménager sa personne, et surtout son visage : cependant, je l'aurois gagé, que dans un premier mouvement vous feriez quelque enfantillage ! Je ne pouvois rester près de vous. Cette madame de B★★★... Qu'est-elle devenue, demanda madame de Lignolle ? — Elle a noblement refusé mon carrosse....... dont elle n'avoit pas besoin. Le commode vicomte s'étoit tout-à-fait établi chez vous ; il avoit dans votre office un laquais, sans livrée, bien entendu, et deux chevaux dans votre écurie. — Quelle femme ! s'écria la comtesse avec une extrême vivacité ; que d'audace dans sa conduite ! et dans ses discours que d'impudence ! Je la trouve à Compiègne, elle me dit qu'elle est un parent du marquis de B★★★ !.... Et vous aussi, monsieur, vous me l'avez fait accroire ! vous m'avez indignement trompée ! Qu'y venoit-elle

r★

faire, à Compiègne ? Répondez..,... Vous
ne dites mot...... vous êtes un traître !
allez-vous-en, sortez d'ici, sortez tout-à-
l'heure ! J'ai la bonté de les croire ! Elle
nous poursuit sur la route, elle nous joint
à Montargis, elle me trouve..... en quel
état, grand dieux !..... J'en verserai toute
ma vie des pleurs de honte et de rage.....
Ce qui me désespère, surtout, c'est d'être
obligée de reconnoître que si je fusse arrivée quelques momens plus tard..... oui,
quelques momens plus tard, c'étoit moi
qui surprenois mon indigne rivale dans les
bras d'un perfide..... car il aime toutes
celles qu'il rencontre : ou la marquise, ou
la comtesse, que lui importe ? pourvu que
ce soit une femme..... Eh! combien vous
faut-il de maîtresses ? vous voulez donc
que j'aie plusieurs amans ?.... N'essayez
pas de vous justifier. Vous êtes un homme
sans délicatesse, sans probité, sans foi !
Sortez tout-à-l'heure, et que jamais je ne
vous revoie !

Madame de Lignolle reprenoit par de-
grés sa première fureur, et je tremblois
que son mari ne revînt. La baronne, à qui

je témoignai mes craintes, les dissipa. Ce prétendu braconnier, me dit-elle, c'est mon coureur, à qui j'ai fait changer d'habit. Il a bonnes jambes et bonne intention. Je l'ai prévenu que M. le comte le poursuivroit en personne, et que c'étoit à lui surtout qu'il falloit procurer le plaisir de la promenade. Je vous réponds qu'il lui donnera de l'exercice, et que nous avons du temps à nous.

Madame de Lignolle ne nous écoutoit pas, et poursuivoit : Elle me surprend ! elle a l'air de me plaindre et de me servir. Je lui adresse mille sots complimens, je lui prodigue des remerciemens ridicules ; monsieur me laisse dire. Il fait plus, il s'entend avec elle pour se moquer de moi... Et vous, madame la baronne, pourquoi, dès que vous l'avez reconnue, ne m'avez-vous pas avertie ? — Vous vous moquez, répondit-elle. Est-ce que je ne vous connois pas assez pour savoir qu'aucune considération ne vous eût retenue, que vous eussiez éclaté sur l'heure, qu'à la face même de votre mari..... — Sans doute ! à la face de l'univers entier ! j'aurois démasqué l'insolente, je l'aurois confondue, je l'aurois..... Tenez, madame, au lieu de vous amuser à disputer avec elle, vous deviez sonner les gens et la faire jeter par la fenêtre. — Ah! oui, j'avois ce petit moyen tout simple, fort doux, qui n'eût fait ni bruit, ni scandale! Mais, dame, on ne s'avise jamais de tout! Je n'y ai pas songé. — L'imposteur! s'écria la comtesse en me regardant, c'est lui qui nous a jouées toutes deux; c'est lui qui m'a dit en confidence que cette femme étoit votre amant....... S'il m'eût avoué qu'autrefois vous étiez homme, moi je l'aurois cru.... et pourtant voilà comme il abuse de mon aveugle confiance!... Mais il ne me trahira plus. Qu'il sorte, qu'il s'en aille! je le déteste, je ne le veux plus voir! — Comment voulez-vous qu'il s'en aille?.... — Quand je pense que cette odieuse marquise est restée là toute la nuit..... avec moi...... près de lui!... et encore une grande partie de la journée... (elle fit un cri). Ah! mon Dieu! je les ai laissés tête à tête!... pendant une heure!... pendant un siècle!... Monsieur, dites-moi ce que vous avez fait en-

semble ?..... Parlez..... Tandis que je dor-
mois, que s'est-il passé ? — Rien, mon
amie, nous avons causé. — Oui, oui,
causé ! Ne croyez pas m'en imposer encore..... Dites la vérité, dites ce que vous
avez fait ensemble; j'exige....—Comtesse,
interrompit la baronne en riant, vous le
soupçonnez d'un crime dont, sans l'offenser, on peut le juger depuis plus de vingt-
quatre heures absolument incapable. —
Incapable, lui ? jamais !...... Monsieur !
quand je suis entrée, vous aviez, disoit-
elle, une palpitation, et sa main...... Elle
est bien hardie d'oser la mettre sur votre
cœur, sa main ! et vous bien bon de le
souffrir ! C'est à moi qu'il est, votre cœur,
il n'est à personne qu'à moi.... Hélas ! que
dis-je ? l'ingrat ! le volage ! il se donne à
tout le monde.... Je suis sûre que pendant
mon sommeil.... Oui, j'en suis sûre; mais
j'en attends l'aveu de votre propre bouche.
je l'exige..... J'aime mieux ne pouvoir plus
douter de mon malheur, que de rester
dans la plus affreuse des incertitudes.......
Faublas, dis ce que vous avez fait ensemble. Tiens, si tu l'avoues, je te le par-

donne... Convenez-en, monsieur, convenez-en, ou je vous donne votre congé.....
Oui, c'est un parti pris : je vous renvoie,
je vous chasse.

Pourquoi donc la chasser, dit M. de
Lignolle en entrant ? Il ne faut pas. Je
suis même très-fâché d'être sorti; car
vous avez renvoyé le vicomte........ — Le
vicomte !...... Monsieur, je vous déclare,
une fois pour toutes, qu'il ne faut jamais
prononcer son nom devant moi. — Eh!
mais, madame, qu'avez-vous donc? Votre
visage.....—Mon visage est à moi, monsieur, j'en puis faire tout ce qu'il me plaît;
mêlez-vous de vos affaires. — A la bonne
heure.......... Je me repens d'avoir quitté
cet appartement ; on a profité de mon absence.....

LA BARONNE. Elle n'a pas été longue.
Le braconnier s'est laissé prendre beaucoup plutôt que je ne l'espérois.

LE COMTE (*se jette dans un fauteuil*).
Oui, prendre ! je le donne en vingt-quatre
heures au plus habile. Ah ! le chien d'homme ! puisque ce n'est pas un oiseau, il faut
que ce soit le diable. Figurez-vous un cerf

qu'on vient de lancer! Madame, il couroit tout comme! il revenoit de même sur ses voies! On le voyoit à la portée du pistolet, et zeste, à cent pas de là! Vous l'auriez cru bien loin; point du tout! il sembloit tout-à-coup tomber du ciel, presque sur nos épaules; car, il faut le dire, il avoit l'air de narguer mes gens.

LA BARONNE. Et vous, monsieur.

LE COMTE. Moi, c'est autre chose; j'étois toujours le premier sur ses traces. Aussi le drôle s'apercevoit bien à qui il avoit affaire : dès que je le serrois de trop près, il s'éloignoit à toutes jambes : vous vous seriez amusée de la frayeur qu'il avoit de moi! j'ai été dix fois sur le point de l'attraper! Mais, malgré cela, j'ai vu que je ne l'attraperois pas, je me suis ressouvenu du vicomte, j'ai quitté la partie; à présent que je n'en suis plus, le pendard a beau jeu : je parie qu'il va mettre tous mes domestiques sur les dents.

LA COMTESSE (*à Faublas*). Pourquoi ne pas l'avouer?

FAUBLAS. Mais je vous jure qu'il n'en est rien.

LA COMTESSE. Convenez-en , ou je vous renvoie.

LE COMTE (*à Faublas*). Eh bien ! convenez-en , donnez à madame cette satisfaction ; qu'est-ce que cela vous coûte ?

LA BARONNE (*au comte en riant.*) Savez-vous de quoi vous voulez que mademoiselle convienne ?

LE COMTE. Mais.... que le vicomte est un très-aimable jeune homme.... apparemment ?

LA BARONNE. Apparemment ! que voulez-vous dire ?

LE COMTE. Comment, n'est-ce pas clair ? je veux dire qu'apparemment mademoiselle trouve le vicomte fort aimable. (*A la comtesse.*) Et réflexion faite, il n'y a pas de quoi la renvoyer...

LA COMTESSE (*à son mari.*) Pour Dieu ! laissez-moi tranquille, ou je dirai quelque sottise !...... (*à Faub'as*). Convenez-en.

LE COMTE (*à Faublas*). Oh ! je vous en prie, convenez-en. Tenez, nous en convenons tous. Dites-le de ma part au vicomte, et ne manquez pas d'ajouter que son départ m'a causé bien du regret, assurez-le qu'il nous fera toujours un sensible plaisir quand il voudra bien nous venir voir, soit à Paris, soit....

LA COMTESSE. S'il ose jamais se montrer chez moi, je le ferai mettre à ma porte par les valets.

LE COMTE. Je ne vous conçois pas. Tout-à-l'heure vous épousiez sa querelle avec une chaleur!.... Soyez au moins d'accord avec vous-même.

LA COMTESSE. Mais, vous-même, monsieur, vous qui parlez, il n'y a pas une heure que vous étiez d'un avis contraire!

LE COMTE. Depuis une heure tout est bien changé.

LA BARONNE. Oh! oui.

LE COMTE (*à la baronne*). N'est-il pas vrai, madame? Vous avez quelque expérience du monde, vous; et je parie que vous devinez les raisons qui me font voir tout ceci d'un autre œil. (*A mi-voix.*) D'abord, je croyois que ce M. de Florville, quoique d'une assez bonne famille, n'avoit dans le monde, comme la plupart des jeunes gens de son âge, qu'une très-petite existence; or, je ne voyois pas à quoi cet

7.

attachement de mademoiselle de Brumont pouvoit la conduire. Quant à moi, j'ai pour maxime qu'un homme comme il faut doit être, plus qu'un autre, en garde contre les nouvelles connoissances, afin de n'en former jamais que de profitables. Écoutez bien ceci, madame : Tout homme qui ne peut, en aucun cas, nous être utile, tôt ou tard nous devient doublement à charge, parce que, n'ayant jamais rien à donner, il finit toujours par demander quelque chose : dans la carrière de l'ambition surtout, quiconque ne sert pas à notre marche, l'embarrasse, et par conséquent la retarde . voilà pourquoi je ne me souciois pas de me lier avec le vicomte. Mais vous me dites qu'il est à Versailles en bonne posture ; cela change toutes mes dispositions ! Je n'entre point dans vos petits démêlés, je ne me mêle pas de querelles de femme ; il ne m'appartient pas même d'examiner si les moyens que ce jeune homme emploie à son avancement sont très-délicats, l'essentiel est qu'ils soient très-puissans. (*Assez haut.*) Or, il me semble que, de ce côté-là, M. de Florville n'a rien à désirer; il me semble que, favorisé de la nature comme il l'est, et placé de manière à faire valoir ses avantages, il doit aller vite et loin. Voilà donc une connoissance très-précieuse pour mademoiselle de Brumont, qui doit songer à créer sa fortune, et pour moi, qui suis pressé d'augmenter la mienne.

LA COMTESSE(*avec emportement*). Monsieur, allez, vous et tous vos calculs, à tous les... Je suis hors de moi!....... Monsieur, je vous répète que je ne veux jamais entendre parler de cette...

LA BARONNE(*l'interrompt très-vite*). Impertinente créature! (*Au comte.*) Voilà maintenant comme elle le traite.

LE COMTE (*à la baronne*). Vraiment! c'est votre faute, et je me repens bien de m'être absenté.... (*A mi-voix.*) Pour revenir à mes projets, vous savez qu'à Versailles il faut aller sans cesse sollicitant....

LA BARONNE. Oui, le pis-aller, c'est de ne rien obtenir.

LE COMTE. Point du tout! c'est qu'à force d'importunités, on arrache toujours quelque chose...... quand on a des amis,

bien entendu......... Et ce qui le prouve,
c'est cette pension que j'ai dernièrement
enlevée. Mais madame de Lignolle a exigé
que je la cédasse à ce M. de Saint-Prée.
Oh! c'est un de mes chagrins, je l'avoue :
la comtesse est un enfant qui ne connoît
pas du tout le prix de l'argent. Elle imagine qu'avec cinquante mille écus de rente
on n'a plus besoin des bienfaits du roi.
Vous devriez, madame, vous qui avez sa
confiance, lui faire des représentations là-
dessus...

LA COMTESSE (*très-haut, à Faublas*).
Tout ce que vous pourrez me dire est inutile. Je ne suis plus la dupe de tous vos
mensonges...... mais je veux que vous con-
veniez de vos torts. Convenez-en, ou je
vous chasse.

LE COMTE (*assez haut*). Tâchez de lui
faire comprendre aussi que, loin de chasser mademoiselle de Brumont, elle doit
redoubler d'honnêtetés, d'attentions, d'é-
gards, de tendresse pour elle, et surtout
engager M. de Florville à venir le plus
souvent possible...

LA COMTESSE (*se lève furieuse*). Monsieur, vous avez votre appartement; ayez la bonté de me laisser tranquille dans le mien.

LA BARONNE (*au comte*). Oui, nous sommes mal ici; on nous interrompt à chaque instant; allons ailleurs.

LE COMTE. A la bonne heure, je le veux bien, parce qu'à vous, madame, on peut vous parler raison......... mais, attendez....

LA COMTESSE (*à Faublas*). Convenez-en.

LE COMTE (*à la comtesse et à Faublas*).

Je veux, avant de m'en aller, vous donner à chacune un bon conseil : vous, mademoiselle, convenez-en, car si cela n'est pas, cela doit être, et nous le croyons; et il faudra toujours que vous finissiez par là. Vous, madame, qu'elle en convienne ou qu'elle n'en convienne pas, ne renvoyez point votre demoiselle de compagnie, car je connois les affections de votre ame, une heure après vous en seriez désolée. Quant au vicomte, je ne vous en parlerai plus, mais je m'en charge.

Nous restâmes seuls. Madame de Lignolle s'obstinoit toujours à m'arracher

2*

l'aveu de ma prétendue faute ; et moi, persuadé qu'un mensonge n'étoit ici rien moins que nécessaire, je persistois à soutenir la vérité. Desolé pourtant de voir mes protestations perdues, je fis un dernier effort que le succès couronna. Mon amie, je te le répète et je te le jure, rarement je songe à la marquise, depuis que je songe toujours à toi ; depuis que tu m'appartiens, madame de B*** ne m'appartient plus. Aujourd'hui comme hier, j'étois son ami seulement, et ce sera demain comme aujourd'hui. Dis-moi par quelle erreur entraîné, je pourrois auprès de toi m'occuper d'elle ? Seroit-il possible que je regrettasse quelques avantages qu'elle a, quand je te vois briller de mille qualités qui lui manquent ? Ne doit-elle pas, malgré toutes ses connoissances acquises, t'envier ton esprit naturel ? Ne parois-tu pas plus jolie de tes attraits naissans, de tes grâces naïves, de ta piquante étourderie, qu'elle ne se montre belle de son éclatante jeunesse, de ses grandes manières et de son orgueilleuse dignité ? A-t-elle surtout, mon Eléonore, a-t-elle une ame, autant

que la tienne, compâtissante et généreuse?
Crois-tu que je puisse oublier la joie de tes
vassaux à ton retour, la reconnoissance
de tes fermiers, les éloges de ton curé vé-
nérable? Je l'ai vu; mon cœur en a joui :
Tu es ici l'objet du culte général, tu es pour
la foule de ces bonnes gens une bienfaisan-
te providence, à laquelle il ne faut jamais
rien demander et qu'on doit remercier sans
cesse. Et ton amant seroit le seul que tes
vertus trouveroient insensible, le seul dont
tes bontés feroient un ingrat ! ne le crois
pas ! garde-toi de le croire ! Tiens, mon
adorable amie, tiens, je voudrois qu'il me
fût permis d'aller avec Éléonore, loin de
toute autre séduction, passer ma vie dans
la chaumière relevée pour le vieux Duval
par la comtesse de Lignolle. Va, cesse de
te plaindre et de me soupçonner, cesse de
redouter une trop foible rivale; je l'estime,
mais je te respecte ; je lui conserve un
reste d'amitié, mais je te garde le plus
tendre amour ; il est vrai qu'autrefois près
d'elle j'ai goûté quelques doux instans,
mais depuis j'ai trouvé près de toi des jours
délicieux ; enfin madame de B*** main-

tenant m'offriroit peut-être encore des plaisirs; mais toi, mon Éléonore, tu me donneras le bonheur.

Le bonheur !.... Ainsi préoccupé d'un parallèle difficile entre deux rivales presque également séduisantes, mais à qui la nature avoit très-diversement réparti ses dons précieux, j'oubliois une femme encore plus favorisée, qui, réunissant en elle seule toutes les vertus et tous les charmes, étoit infiniment supérieure à tout objet de comparaison. J'oubliois Sophie, et dans mon égarement j'allois jusqu'à former des vœux contraires à notre réunion. Ah ! je n'ose espérer que l'aveu d'une faute pareille puisse jamais, aux yeux d'autrui comme à mes propres yeux, la réparer suffisamment.

Au reste, plus je me rendois coupable envers ma femme, plus ma maîtresse avoit lieu d'être satisfaite. Fort bien ! dit la comtesse en se jetant à mon cou, voilà comme il falloit parler d'abord, tu m'aurois aussitôt persuadée ! Puisque tu m'aimes et que tu ne l'aimes pas, je suis contente; puisque tu ne m'as pas fait avec

elle une infidélité, je te pardonne tout le
reste. — Et moi, je ne vous pardonne
point; vous n'avez pas ménagé mon bien,
le meilleur de mon bien! Vous vous êtes
arraché le visage. — Vas-tu pour cela ne
pas m'aimer autant? tu aurois tort : je
suis moins jolie, mais plus intéressante.
— Je ne veux point de cet intérêt-là.
Promettez qu'il ne vous arrivera jamais
de vous porter à de pareils excès. — Mais
toi, Faublas, promets de ne me plus donner aucun sujet de colère. — Ah! sur
mon honneur! Hé bien! dit-elle en riant,
vois comme je suis bonne; je m'engage à
ne plus me fâcher.

Le comte en ce moment rentroit : il
s'écria : Dieu soit loué! elle en est convenue! Elle en est convenue! répéta la
baronne avec étonnement. Point du tout!
répondit la comtesse qui frappa ses petites
mains l'une contre l'autre et fit un saut de
joie. Comment, reprit M. de Lignolle, et
vous êtes de si belle humeur? Justement
parce qu'elle n'en est pas convenue, répliqua l'étourdie. Voilà, s'écria le profond
observateur, une chose qui me passe. J'en

déduirai du moins la vérité de ce principe, que l'ame d'une femme est inexplicable dans ses caprices. Moi, dit madame de Fonrose, je n'en déduirai rien; mais je m'en vais tranquille et contente.

Le jour d'après, quand elle revint nous voir, M. de Lignolle n'étoit plus au château. Des lettres venues de Versailles, le matin même, l'avoient déterminé à nous quitter sur-le-champ; et quoique nous n'eussions pas une aussi grande idée que lui des affaires importantes qui le rappeloient à la cour, nous n'avions fait aucun effort pour le retenir. Mais la baronne, au lieu de féliciter son amie, troubla sa joie : mon père avoit chargé madame de Fonrose de me ramener à Nemours, où m'attendoit avec lui ma chère Adélaïde déjà parfaitement remise de son indisposition et de ses fatigues. Le premier mot de la comtesse fut que désormais nous ne nous quitterions plus, et quand la baronne l'eut forcée de reconnoître que mon père avoit des droits sur moi, madame de Lignolle, appelant M. Despeisses en témoignage, soutint que ma foiblesse encore extrême ne permettoit pas qu'on me transportât. Elle déclara d'ailleurs que, loin de consentir à me laisser aller tant qu'il y auroit du danger pour ma vie, elle avoit résolu de veiller elle-même sur ma convalescence, et que nulle force humaine ne l'obligeroit à se séparer de son amant avant qu'il fût entièrement rétabli. Madame de Fonrose, après avoir employé les prières, les représentations et les menaces, partit assez mécontente de n'avoir pu rien obtenir de plus.

Le lendemain, ce fut mon père lui-même qui vint me chercher. Dès qu'on annonça M. de Brumont, la comtesse renvoya ses domestiques et courut à mon père : Voyez, lui dit-elle d'un ton joyeux et caressant, approchez, il n'est plus alité, le voilà dans un fauteuil, le voilà !..........
Nous venons de faire plusieurs fois ensemble le tour de cet appartement...... il a bien dormi, ses forces reviennent, il est mieux, beaucoup mieux ! Vous devez sa conservation à ma vigilance, et son rétablissement à mes soins : je l'ai sauvé de son désespoir, je l'ai sauvé de sa maladie;

c'est par moi qu'il vit, c'est pour moi
qu'il doit vivre... uniquement pour moi!...
et pour vous, monsieur, j'y consens;
mais pour vous seul. Le baron m'adressa la
parole : A quelle démarche exposez-vous
un père qui vous aime? Étoit-ce là ce
que vous m'aviez promis? Étoit-ce ici
que je devois retrouver mon fils!...... Madame de Lignolle l'interrompit vivement :
Cruel! auriez-vous mieux aimé le trouver
mort à Montargis? quand je suis venue l'y
rejoindre, il étoit seul, dans le délire, un
pistolet à la main...... Monsieur, je vous
le répéte, je l'ai sauvé de son désespoir...
Hélas! et ce n'étoit pourtant pas la douleur de ma perte qui troubloit sa raison et
déchiroit son cœur. Mon père s'adressa
toujours à moi : Puisque hier madame de
Fonrose n'a pu vous ramener, je viens moi-
même aujourd'hui.... Il ne m'écoute seulement pas, s'écria-t-elle; il ne daigne
pas m'adresser un mot de remerciement!
l'ingrat! pas même une politesse!... Monsieur, si vous refusez à mes services la reconnoissance qui leur est due, ayez du
moins pour mon sexe les égards qu'il mé-

rite, et songez que vous n'êtes point ici
chez mademoiselle de Brumont. — Pour
que je me crusse votre obligé, madame,
il faudroit que, seulement instruit de vos
actions, j'ignorasse vos motifs : vous avez
tout fait pour ce jeune homme et rien
pour moi. Quant à mademoiselle de Brumont, je ne la connois point, je viens
chercher ici le chevalier de Faublas et l'é-
poux de Sophie. — De Sophie ! Non,
monsieur, le mien ! je suis sa femme. Oh !
je suis sa femme ! (*elle m'embrassa*) et
votre fille, ajouta-t-elle en saisissant une
de ses mains qu'elle baisa ; pardonnez-
moi ce que je viens de vous dire ; pardonnez-moi les étourderies que j'ai faites chez
vous la dernière fois que j'y suis venue ;
excusez mon inexpérience et mes vivacités;
souvenez-vous seulement que je vous
aime... et que je l'idolâtre. Tenez, je brûlois du désir de vous revoir, de vous parler.... Je vais tout vous dire: Depuis quelques jours il s'est fait un grand changement..... un changement heureux..... les
nœuds qui l'attachent à moi sont maintenant indissolubles : avant neuf mois vous

7.   3

aurez un petit-fils.... Écoutez-moi, écoutez-moi donc..... oui, ce sera un garçon,
un joli garçon, aimable, généreux, sensible, gai, spirituel, intrépide, plein de
grâce et de beauté, comme son père ...
Écoutez-moi, n'essayez pas de retirer votre main..... Étes-vous donc fâché que je
porte dans mon sein le gage de son amour?
ou pourriez-vous penser.... Oh! c'est son
enfant; c'est bien le sien, soyez en sûr;
ce n'est pas celui de M. de Lignolle. M. de
Lignolle n'a jamais....... je vous proteste
que personne ne m'avoit épousée avant
Faublas. Demandez-lui, si vous croyez
que je mens. Personne avant lui ne m'avoit
épousée, et personne après lui ne m'épou-
sera, je vous le jure! — Malheureuse enfant, dit enfin le baron que sa surprise
extrême avoit long-temps réduit au silence,
quel transport vous égare! et comment
pouvez-vous me faire à moi de pareilles
confidences? — C'est justement à vous
que je dois les faire, à vous qui ne voyez
en moi que la maîtresse de votre fils, à
vous qui, ne connoissant de madame de
Lignolle que ses légèretés et ses foiblesses,

prenez de son caractère l'idée la plus dé-
favorable et la jugez à la rigueur. Il est
vrai que je me suis laissée séduire ; mais
comment et par qui ? Regardez-le d'abord,
et dites-moi si je ne suis pas excusable. Il
est vrai que sa victoire fut l'ouvrage d'un
instant : mais voilà précisément ce qui
justifie ma défaite. Ma défaite, si je l'avois
calculée, eût été moins prompte ; et peut-
être que je n'aurois pas du tout succombé
si j'avois su ce que c'étoit que de combattre. Mais, dans ma profonde ignorance,
je n'entendois rien à tout cela, rien,
monsieur ! je n'avois d'une jeune mariée
que le nom. En doutez-vous ? Demandez
à Faublas, il vous le dira, il vous dira
que ce fut lui qui m'enseigna..... l'amour.
Et concevez-vous comment une jeune
personne toute simple, toute innocente,
ignorant de l'hymen jusqu'à ses droits,
auroit pu connoître ses devoirs et les res-
pecter ! Moi, je pris un amant, comme
j'avois un époux, sans réflexion, sans curiosité ; mais pourtant, je l'avoue, déterminée par le désir de venger le plutôt
possible un affront qu'on me disoit impar-

donnable , je pris le chevalier, d'abord
parce qu'au moment critique il se trouva là,
et puis parce que je ne sais quel instinct
naturel me le fit juger très-aimable. Ainsi,
monsieur. vous le voyez; pour m'être éga-
rée, je ne suis pas criminelle. Si dès le premier pas j'ai tombé , c'est la faute de ceux
qui , me donnant une nouvelle carrière à
parcourir , m'y ont abandonnée dans les
ténèbres; au lieu de m'instruire et de m'é-
clairer. Si jamais je suis malheureuse et
déshonorée , ce sera la faute du sort qui
m'a sacrifiée , et celle du hasard qui m'a
trop tard servie. Ah ! que ne s'est-il offert
à moi quelques mois plutôt, celui par qui
mon existence devoit commencer ! Que
n'est-il venu au premier jour de l'autre
printemps , dans cette *Franche-Comté* ,
où , pour la première fois, je m'ennuyois
avec ma tante , où je me sentois agitée
d'une inquiétude nouvelle, consumée d'une
flamme inconnue, dévorée du besoin d'aimer, d'aimer Faublas, de n'aimer que lui.
Alors , que n'est-il venu ! je lui aurois
aussitôt donné ma fortune et ma main ,
ma personne et mon cœur ; et j'eusse

été sa légitime épouse ! et j'eusse été pour
le reste de ma vie, de toutes les femmes la
plus heureuse en même temps et la plus
considérée.... Hélas ! il ne vint pas, *lui*.
Un autre se présenta, et quel autre ! grand
dieu ! on me l'amène, on me dit : Monsieur veut se marier et te convient ; une
fille ne peut rester fille, fais-toi femme.
Moi, sans m'informer seulement de quoi
il est question, je promets de le devenir ;
et voilà qu'un soir, au bout de deux mois,
je le deviens ; mais alors il se trouve que
j'ai deux maris : il se trouve que celui qui
en a le titre ne peut en remplir les fonc-
tions, et que celui qui en remplit les fonc-
tions ne peut en avoir le titre. Que faire
en cette occasion difficile ? Demander le
divorce avec M. de Lignolle, ou brusquer
la rupture avec mademoiselle de Brumont.
Le premier de ces deux partis également
extrêmes, en me couvrant d'un ridicule
ineffaçable, eût troublé mon repos ; le second m'eût coûté le bonheur en me rédui-
sant au veuvage pour toute ma vie : Je ne
fis donc pas très-mal de ne point laisser éclater mon ressentiment contre l'é-

3*

poux indigne, et de témoigner ma satisfaction à l'amant séducteur. Cependant,
comment ne pas prendre chaque jour une
plus haute opinion de celui-ci? Comment
au fond du cœur ne pas mésestimer celui-
là de plus en plus? Le moyen de chasser
le dégoût et les mépris, quand c'est ce M.
de Lignolle qui continuellement les appelle? le moyen de rappeler jamais la vertu, quand c'est Faublas qui sans cesse l'é-
carte? Ainsi, monsieur le baron, vous
voyez que je suis pour toujours obligée à
garder le mari que je déteste et l'amant
que j'adore. Maintenant que je vous ai
présenté le tableau fidèle de ma situation,
vous ne conserverez contre moi nulle pré-
vention injuste et fâcheuse. Si jamais au
contraire il arrive que le public éclaire ma
conduite et soit tenté de la condamner,
vous ne m'abandonnerez point à la préci-
pitation de ses jugemens. Ah! je vous en
prie, défendez alors madame de Lignolle,
montrez-la telle qu'elle est, dites bien à
tout le monde que ses erreurs ne lui doivent pas être imputées; que sa famille
seule en est responsable, et qu'il faut

surtout en accuser la fatalité ! — Madame.
répondit mon père du ton de l'intérêt,
je suis flatté de votre confiance, quoique
vous me la donniez très-étourdiment; je
conçois que votre extrême pétulance peut
en certains cas vous servir d'excuse; et je
ne vous dissimulerai même pas que vos
aveux m'ont touché par leur imprudente
franchise. Autrefois j'ai blâmé vos égare-
mens, je plains aujourd'hui votre passion;
mais sûrement vous n'attendez pas que
jamais je l'approuve; et ne vous abusez
point : quand j'aurois pour vous cet excès
d'indulgence, le public qui ne tient aux
vicieux aucun compte de la protection des
foibles, le public ne jugeroit pas vos fautes
avec moins de sévérité. Si donc vous
comptez son opinion pour quelque chose,
si vous êtes jalouse de conserver l'amitié
de vos proches, l'estime de vos amis, l'estime de vous-même, le respect des honnê-
tes gens, le repos d'une bonne conscience,
arrêtez-vous sur le penchant de l'abîme
où vous marchez témérairement entre deux
guides toujours aveugles et souvent perfides, l'espérance et la sécurité. Arrêtez-

vous, s'il en est temps encore ! Quant à
moi, comtesse, mon devoir est maintenant d'essayer la douceur pour vous rappeler les vôtres ; et si vous ne m'écoutez pas,
d'employer l'autorité pour obliger mon fils
à remplir les siens. Vous et lui, madame,
vous avez aux pieds des autels juré d'aimer quelqu'un sans partage, et ce quelqu'un, ce n'est ni vous ni lui. L'un et l'autre
vous avez promis au même Dieu de ne pas
vous aimer. On doit un respect éternel
aux sermens : les vôtres, pour avoir été
déjà violés, ne sont point anéantis. Faublas ne vous appartient pas plus que vous
n'appartenez à Faublas ; et comme l'amour
dont vous brûlez pour lui ne peut faire
que vous cessiez d'être la femme de M. de
Lignolle, de même les fréquentes infidélités dont le chevalier s'est rendu conpa-
ble envers Sophie ne feront pas qu'il ne
soit plus son époux. Madame de Faublas
a sa foi, mademoiselle de Pontis a son
amour........ — Son amour ? non, monsieur, non ! car il m'adore ; il me le disoit
encore tout-à-l'heure.... Tenez, écoutez-
moi : je veux bien convenir qu'il est l'é-

poux d'une autre ; mais aussi de votre côté convenez du moins que je suis sa femme... et la mère de son enfant.... Oui! voilà ce qui m'enchante! voilà ce qui me donne sur lui des droits incontestables! C'est un avantage que j'ai sur madame de Faublas... Madame de Faublas! que j'envie son sort cependant! combien elle est mieux que moi partagée! Pouvoir s'enorguellir de l'avoir pour époux, porter son nom, son nom si cher! Ah, cette Sophie trop favorisée, qu'a-t-elle donc fait de si recommandable qui ait pu lui valoir le bonheur d'obtenir Faublas? et la pauvre Éléonore, hélas, qu'avoit-elle fait de si repréhensible qui lui ait dû mériter le tourment d'épouser ce M. de Lignolle. — Croyezmoi, ne reprochez pas vos malheurs à ta destinée, n'en accusez que votre foiblesse, et préparez-en la fin par une résolution courageuse. Pour triompher d'une passion fatale, cessez d'en voir l'objet... — Cesser de le voir? plutôt mourir. — Cessez de le voir, vous le devez; vous devez essayer cet unique moyen d'échapper aux dernières infortunes qui vous menacent. — Plutôt

mourir. — Comtesse, je vais vous affliger...
mais enfin, il faut vous le dire : la circonstance m'impose aussi des devoirs pénibles.
Je dois, quand je vous aurai conseillé le
douloureux sacrifice, et que vous vous
serez obstinée à ne le point faire, je dois
ne rien négliger pour vous forcer de l'accomplir. — Grands dieux ! — Tout-à-l'heure
j'emmène le chevalier !... — Non, vous ne
l'emmenerez pas, non, vous n'aurez pas
cette cruauté, — Je l'emmène, il le faut.
— Il ne le faut pas, qui vous y oblige ? — La
nécessité de l'arracher à des séductions
trop puissantes. — Et vous auriez le courage de me réduire au désespoir ? — J'aurai
le courage de vous rendre à vous-même. —
Vous voulez priver une femme de son
amant. — C'est vous, qui voulez priver
un père de son fils — Moi, répondit-elle
avec une extrême volubilité, point du
tout, ne vous en privez pas. Restez ici ;
qui vous a dit de vous en aller ? Vous
l'aurois-je dit ? c'eût été sans réflexion.
Restez avec nous, cela me fera le plus
grand plaisir, et à lui aussi, car.. je vous
aime beaucoup, mais il vous aime encore

d'avantage; restez avec nous. Je vous donnerai un appartement fort commode, fort
beau : tenez! celui de mon mari; et quant
à mademoiselle votre fille, j'ai encore une
chambre pour elle...... oui, envoyez chercher mademoiselle votre fille ; il sera bien
aise de voir sa sœur ! qu'elle vienne ! et
madame de Fonrose aussi! toute la famille ! que toute la famille vienne s'établir
chez moi! j'ai de quoi loger toute la famille....... excepté Sophie... ..... Allons !
vous, ajouta-t-elle en m'adressant la parole, vous ne dites mot ! Joignez-vous
donc à moi pour l'engager à rester avec
nous — Mais que dit-elle donc, s'écria
mon père? Permettez-vous que je parle
à mon tour ? — Il n'y a pas besoin de faire
de longs discours, reprit-elle encore très-
vivement, on répond simplement : Oui. —
Non.... madame..... — Non ? il faut absolument que le chevalier s'en aille ? —Ab o-
lument. — Cela est indispensable ? — Indispensable. — En ce cas, je m'en vais
avec lui. Partons tous trois. — Elle perd
tout-à-fait la tête ! —Comment, monsieur,
je perds la tête ! pourquoi cela, s'il vous

plaît? Je voulois bien vous retenir chez
moi ! pourquoi refuseriez-vous de me recevoir chez vous? croiriez-vous me faire
trop d'honneur? croiriez-vous.... — C'en
est fait de sa raison !.... Faublas, préparez-
vous à me suivre. — Ne vous en avisez-
point, me dit-elle; puis revenant à mon
père: Monsieur, vous m'emmenerez, ou
vous ne l'emmenerez pas ! — Comtesse, à
quelles extrémités voulez-vous me réduire?
eh ! quoi ! faudra-t-il que j'emploie la
force ?....La force ! il vous sied bien !.....
c'est moi qui l'emploierai, la force ! ah !
cette fois vous n'êtes pas chez vous ! à mon
tour j'appellerai mes gens !....— Madame,
s'il étoit possible que mes résolutions ne
fussent pas irrévocablement prises, ce que
vous venez de me faire entendre suffiroit
pour les déterminer. — Quoi donc ! vous
aurois-je offensé? c'eût été bien innocem-
ment, je vous jure. Moi, ce qui me vient
a l'esprit, je le dis aussitôt. N'imputez qu'à
ma vivacité ce qui pourroit vous avoir
blessé dans mes discours : en vérité je n'y
mets ni méchanceté, ni réflexion. Songez
que c'est une femme alarmée qui vous

parle, un enfant d'ailleurs... et un enfant
à vous ! la femme de votre fils ! votre
fille !... O vous qu'avec tant de plaisir j'appellerai mon père, ne me retirez pas mon
époux.... non , c'est Faublas que je veux
dire; je suis convenue qu'il n'étoit point
mon époux... n'emmenez pas Faublas.
Monsieur le baron ! je vous en supplie !....
Si vous saviez dans quelles angoisses j'ai passé près de son lit vingt-quatre mortelles
heures ! combien de fois j'ai tremblé pour
ses jours !... et, quand mes soins le rendent
à la vie, quand je commence à renaître
avec lui, vous auriez la barbare ingratitude
de nous séparer !... Hélas ! moins malheureuse s'il fût mort, il m'eût été permis du
moins de le suivre... à la même heure...dans
le même tombeau. Monsieur le baron , ne
l'emmenez pas ! bientôt peut-être vous
auriez à vous en repentir , et vos regrets
seroient inutiles. Je le sens , et je vous le
dis : je pourrois dans mon désespoir.......
vous ne savez pas tout ce que je pourrois !
Ne l'emmenez pas , prenez pitié d'une
mère ; oui , dit-elle en se précipitant à ses
genoux qu'elle embrassa , oui , c'est pour

mon enfant surtout que je vous implore !
—Que faites-vous ? répondit-il d'une voix
troublée, relevez-vous, madame ! —Ah !
mes peines vous ont touché, poursuivit-
elle. Pourquoi vous en défendre ? pourquoi vouloir me le cacher ? ne me repoussez
pas, ne détournez pas le visage, dites un
mot seulement.

Mon père, en effet très-ému, ne pouvoit plus parler ; mais il me fit un signe,
qui soudain arrêta les pleurs de la comtesse,
et changea son attendrissement en fureur.
Je vous vois ! s'écria-t-elle en se relevant ;
vous paroissez me plaindre, et vous me
trahissez, méchant, ingrat que vous êtes !
Le baron, se faisant alors violence, balbutia ces mots : Mon fils, ne m'avez-vous
pas entendu ? — Non, lui répondit-elle
avec impétuosité, et il ne vous entendra
pas, parce qu'il n'est pas, comme vous,
perfide, impitoyable. — Chevalier, quit-
tez cette chambre.—Garde-toi de le faire !
— Faublas, c'est un ami qui vous prie de
sortir. — Faublas, c'est une amante qui te
conjure de ne pas l'abandonner ! Le baron, qui me vit encore incertain, me dit

d'un ton très-ferme : Je vous l'ordonne. La comtesse qui ne me trouva pas l'air assez indocile , me cria : Je te le défends.

Hélas ! à qui des deux me soumettre ?... Ô mon Éléonore ! c'est avec désespoir que ton amant te désobéit ; mais le moyen qu'un fils résiste aux ordres de son père !.. Madame de Lignolle, surprise , et désolée de voir que je me levois pour me trainer vers la porte , voulut courir à moi ; le baron l'arrêta; elle essaya de se jeter sur le cordon de sa sonnette, il la retint ; elle espéroit du moins pouvoir appeler, il lui mit une main sur la bouche : aussitôt le fauteuil que je venois de quitter la reçut évanouie.

Je voulois revenir , mon père m'entraîna ; mon père me donna le bras, nous descendîmes. Je vis dans notre voiture une femme qui s'y tenoit cachée ; c'étoit madame de Fonrose : Le baron lui dit : Il n'y a pas un moment à perdre, courez à votre amie qui se trouve mal : quant à nous, le temps presse , il est impossible que nous vous attendions. Restez à dîner chez la comtesse, et ce soir vous la prierez de vous renvoyer dans sa berline.

La baronne aussitôt nous quitta, et sur-le-champ nous partîmes. Mon père resta long-temps plongé dans une rêverie profonde ; puis je l'entendis pousser un soupir et murmurer ces mots : Pauvre enfant ! je la plains ! Ensuite il ramena sur moi des regards attendris ; et, d'un ton assez ferme, quoique d'une voix encore altérée, il me dit : Mon fils, je vous défends de revoir madame de Lignolle.

A Nemours, je retrouvai ma chère Adélaïde, dont la douleur renouvela toute la mienne : O ma Sophie ! je vous avois perdue ; et quoique madame de Lignolle me devint chaque jour plus chère, vous étiez encore celle que je préférois.

Madame de Fonrose nous rejoignit le soir : elle avoit eu beaucoup de peine à tirer la comtesse de son évanouissement, et plus de peine encore à lui persuader qu'il ne falloit pas venir ici nous faire une inutile scène. La baronne, en s'adressant à mon père, ajouta : Je la crois capable de se porter bientôt à toutes sortes d'extrémités, si, ne prenant en considération

ni ses malheurs, ni sa jeunesse, vous ne
permettez pas que ce jeune homme aille
rarement, mais du moins quelquefois,
donner à cette enfant les seules consola-
tions qui puissent lui rendre son état un peu
supportable. Mon père, qu'alors j'obser-
vois avec attention, ne répondit à ce discours de la baronne par aucun signe d'ap-
probation ou de mécontentement. Je passai, comme il y avoit tout lieu de le
craindre, une nuit fort agitée; le lendemain, nous rentrâmes à Paris, où déjà
trois lettres m'attendoient. La première
me venoit de Justine; mon Éléonore avoit
écrit la seconde; et, quant à la troisième,
vous ferez comme je fus obligé de faire,
vous devinerez de qui elle étoit.

« Je sais que monsieur le chevalier va
» revenir convalescent; je le prie de pas-
» ser chez moi dès qu'il le pourra. Il vou-
» dra bien seulement m'annoncer le jour
» de sa visite, par un billet qu'il m'adres-
» sera la veille. »

« Votre père est un méchant; souffrez-
» vous autant que moi des peines qu'il

4*

» nous cause? Tiens, mon ami, si tu ne
» veux pas que je succombe à mon cha-
» grin, hâte-toi de reprendre assez de
» forces pour me venir voir. Que je te voie
» seulement, je serai contente. Depuis
» deux jours que le cruel nous a séparés,
» je meurs d'inquiétude, d'impatience,
» d'amour et d'ennui. »

« MONSIEUR LE CHEVALIER.

» Le pauvre jeune homme s'en va; mais
» il dit que ça lui fera plaisir, s'il vous fait
» ses adieux, et qu'il a quelque chose d'im-
» portant à vous dire; mais que, par ran-
» cune, vous ne voudrez peut-être pas le
» venir voir, et il en tremble de peur,
» voilà pourquoi il me charge de vous le
» demander. Suivant une coutume de la
» loi de nature, on supporte à un malade
» qui se meurt toutes ses fantaisies; et,
» sous votre respect, vous qui êtes, à ce
» qu'il dit, muni d'un très-joli savoir-
» vivre envers tout le monde, vous auriez
» dans le cœur une âme bien dure, de re-
» fuser si peu de chose à un ami qui n'est
» pas sans indifférence pour vous. C'est en

» conséquence de ce que je vous attends,
» pour vous présenter à mon maître, afin
» que vous lui fassiez passer son envie de
» parler, et que vous le remontiez un peu
» sur le ton de rire, lui qui faisoit toujours
» quelque bonne farce, et qui a mainte-
» nant l'air triste comme le bonnet de nuit
» de feu ma grand'maman Robert, qui
» est devant Dieu. Par manière d'acquit,
» vous ferez mieux de lui donner, tout
» en causant, par-ci par-là, sans que ça
» vous dérange, quelques bonnes embras-
» sades bien serrées, puisqu'il s'est mis
» dans la tête que cela lui feroit du bien.
» Malgré ça, je dis qu'il faudra avoir l'at-
» tention de prendre garde de ne pas l'é-
» touffer, parce qu'il est très-foible de
» tout son corps. Enfin, pour terminer,
» le temps presse, puisque les chirurgiens
» contestent que, d'un moment à l'autre,
» il peut passer dans mes bras comme une
» chandelle. Voilà la seule raison pour-
» quoi il lui seroit de toute force impos-
» sible d'attendre long-temps votre com-
» modité : or, ce qu'il en feroit, ce ne
» seroit pas du tout par impolitesse, ni

» par trop grande impatience; mais c'est
» que, voyez-vous, quand celui d'en-haut
» nous appelle, il faut, sans tant de fa-
» çons, quitter la compagnie. Voilà pour-
» quoi, si vous le voulez, je vous enverrai
» dès demain sa voiture, dont il ne se sert
» plus, depuis qu'il n'a pas sorti de son
» lit. Au moyen de quoi, je vous attends
» d'un pied ferme, avec lequel je suis très-
» respectueusement,

  » MONSIEUR LE CHEVALIER,
   » Votre très-humble et très-obéissant
   » serviteur, ROBERT, son valet de
   » chambre. »

J'appelai Jasmin : Tiens, va-t-en tout à
l'heure chez madame de Montdésir....—
Ah! ah! celle-là que vous faites toujours
attendre; car elle vous fait toujours demander. — Tu la remercieras de son billet; tu lui diras qu'elle présente mes res-
pects à la personne qui le lui fait écrire,
et qu'elle fasse tenir à cette personne la
lettre que voici...... Remarque qu'elle est
signée Robert...... ou plutôt..... je vais
la mettre sous enveloppe........ tu me com-

prends? c'est à madame de Montdésir
qu'il faut remettre ceci. — Oui monsieur.
— De là, tu iras chez madame la comtesse de Lignolle........ — Ah! cette jolie
petite brune, si drôle, si alerte, qui, l'autre jour, dans le boudoir, vous a donné
ce bon soufflet... Il faut que cette femme-
là vous aime bien, monsieur? — Oui,
mais tu as trop de mémoire........ écoute :
tu n'entreras pas chez madame, tu de-
manderas son laquais La Fleur, tu lui diras que j'adore sa maîtresse....... — Puisque vous me chargez de le lui dire, c'est
qu'il le sait déjà. — Il le sait, tu as raison.
— Bon. Il est donc nécessaire que monsieur La Fleur et moi nous soyons bons
amis. Monsieur, si je lui proposois un
verre de vin? — Propose-lui en deux......
à ma santé....... Jasmin, tu m'entends?—
Oh! oui, monsieur, vous êtes le plus aimable et le plus généreux...... — Recom-
mande à La Fleur de prévenir madame de
Lignolle que je me rendrai chez elle dès
que j'aurai pu concerter avec madame de
Fonrose les moyens de reprendre mes habits de femme, et de sortir d'ici sans que

le baron me voie. — Très-bonne, cette
commission-là ; je ne l'oublierai pas. —
Enfin, tu iras chez M. le comte de Rosambert....... — Tant mieux. C'est encore un
garçon bien jovial, celui-là !..... je m'ennuyois de ne le plus voir. — Jasmin, si tu
voulois m'écouter !....... tu parleras à Robert, son valet de chambre; tu lui annon-
ceras que, malgré ma foiblesse, j'irai voir
son maître dès demain. J'accepte l'offre
qu'il me fait de sa voiture. Robert n'a qu'à
me l'envoyer à dix heures du matin. —
Oui, monsieur. — Eh bien ! tu pars ! —
Sans doute. — Quoi! Jasmin ! chez madame de Lignolle avec ma livrée ?—Vous
avez raison. L'habit bourgeois, nigaud que
je suis ! l'habit bourgeois ! — Jasmin, tu
diras partout que je n'ai pas répondu par
écrit, parce que je me sentois trop fatigué.
— Oui, monsieur. — Attends donc. Si
M. de Belcour demande où tu es, je répondrai que je t'ai envoyé chez M. de Rosambert; nous ne lui parlerons pas des deux
autres commissions. — Sans doute ! des
affaires de femmes, ça ne regarde que vous.
Il ne faut pas que monsieur votre père

entre là-dedans.,.... Ah ça, mais il trou-
vera que j'ai été long-temps dehors! Il
me fera de mauvaises raisons! — Eh bien,
mon cher, écoutez patiemment, et surtout ne répondez pas. — Vraiment, voilà
ce qui me coûte. Je n'aime pas qu'on me
gronde quand je fais mon devoir. — Vous
serez défendu par le témoignage de votre
conscience, imbécille! et puis, ne veux-tu
rien souffrir pour moi? — Pour vous,
monsieur, je gagnerois une fluxion de poitrine, et j'endurerois cent mauvais propos;
vous allez voir.

Mon généreux domestique me tint parole : il revint en nage; et, loin de se permettre seulement un murmure, quand le
baron l'accusa de lenteur, il avoua noblement qu'il s'étoit amusé sur la route.
O mon bon Jasmin, que ne donneroient
pas quantité de jeunes gens de famille pour
avoir un serviteur comme vous!

M. de Belcour, ce soir-là, ne quitta ma
chambre que lorsqu'il me vit endormi.
Mes chagrins me réveillèrent à la pointe
du jour. La marquise eut un soupir; mon
Éléonore, plusieurs regrets bien vifs; So-

phie , mille souvenirs doux et cruels. Mais
quelle fut mon inquiétude , lorsque voulant relire la lettre de son ravisseur , je ne
la trouvai plus ! Je me fis rapporter mes
habits de femme, je fouillai dans toutes les
poches; le précieux papier n'y étoit point.
Ah! je l'ai sans doute laissé chez madame
de Lignolle!....... et s'il est tombé dans ses
mains ! grands dieux !

Les gens de Rosambert me vinrent
chercher de très-bonne heure. Ce fut Robert qui m'ouvrit la chambre à coucher de
son maître. Vous pouvez lui parler un peu
me dit-il tristement, il n'est pas encore
tout-à-fait mort; mais il ne le portera pas
loin, le pauvre jeune homme! il avoit
tout-à-l'heure une fièvre de cheval. Oh!
je vous en prie, monsieur, ne le gênez dans
aucune de ses idées, dites tout comme il
dira... A qui parlez-vous ainsi tout bas, demanda le comte d'une voix presqu'éteinte?
Le valet de chambre répondit : C'est monsieur le chevalier de Faublas......... Dès
qu'il eut entendu mon nom, Rosambert
souleva sa tête avec effort, et ce ne fut
pas sans peine qu'il balbutia ces mots : Je

vous revois ! j'aurai donc la consolation de pouvoir vous confier mes derniers senti- mens ! Venez, Faublas, approchez-vous... Sans partialité, convenez-en, n'est-elle pas bien sauvage et bien romanesque, cette pointilleuse amazone qui, pour une plai- santerie de société, met au tombeau l'un de ses plus constans adorateurs ?

Ici Rosambert s'anima ; sa prononcia- tion, d'abord foible, lente et gênée, devint tout-à-coup ferme, brève et distincte. Cette madame de B***, continua-t-il, cette madame de B***, qui connoît si bien le monde et ses usages, la galanterie et son code, les droits de notre sexe et les privi- léges du sien, ne pouvoit-elle point en conscience calculer que, grâce au succès de mon dernier attentat, nous demeurions, elle et moi, parfaitement quittes l'un en- vers l'autre ? Seulement punie comme elle avoit offensé, ne pouvoit-elle point s'avouer tout bas que nous nous devions équitablement le mutuel oubli des petites noirceurs dont la première elle avoit égayé le grand œuvre de notre rupture en une soirée consommée, et par lesquelles en-

7.   5

suite, autorisé de son exemple, je m'étois
cru permis d'amener notre racommode-
ment fait et rompu dans la même nuit,
dans le même instant? Comment donc se
fait-il qu'oubliant la loi générale et ses
propres principes, elle ait pris cette étrange
résolution de venir comme une folle, au
péril de sa vie si chère aux amours, attaquer la mienne qui ne leur étoit pas tout-
à-fait indifférente? Qui lui a suggéré ce
dessein vraiment infernal? l'honneur? ce
n'est pas où j'ai frappé madame de B***,
qu'elle se seroit jamais avisée de placer le
sien; elle possède trop à fond la science
très-différente des mots et des choses.
C'est donc le démon de l'amour-propre!
Celui-là, je ne l'ignorois pas, ne rencon-
tra jamais de femme humiliée qui ne fût
prête à suivre aveuglément ses plus sots
conseils. Cependant je n'aurois pas deviné
qu'il eût assez d'empire pour déterminer
une belle dame à tuer quiconque pourroit
se glorifier d'avoir remporté sur elle quelque avantage dont son petit orgueil se fût
trouvé blessé..... Mon ami, je n'ai, je vous
proteste, par rapport à madame de B***,

qu'un regret, celui de lui avoir fait une
trop douce injure. Néanmoins je ne pré—
tends pas dire que ma conduite fut, en
cette occasion, tout-à-fait exempte de re-
proche; mais je soutiens que vous seul
aviez le droit de vous en plaindre. Faublas, que voulez-vous ! je fus entraîné, je
ne vis que le doux plaisir de rejoindre
l'artificieuse personne comme elle m'avoit
échappé par vingt détours plaisamment
perfides. Les considérations qui m'auroient
pu retenir, ne se présentèrent seulement
pas à mon esprit entièrement préoccupé
de ses bizarres projets de vengeance; et ce
ne fut qu'après avoir repris ma maîtresse,
que je me reconnus coupable de quelques
torts envers mon ami. Quel châtiment
terrible a cependant suivi la plus excusable des fautes ! quel ennemi s'est chargé
de la querelle de Faublas ! et comme il l'a
vengé ! Hélas ! Rosambert, pour vous
avoir étourdiment donné quelques passa-
gers chagrins, méritoit-il de mourir à
vingt-trois ans, et de mourir de la main
d'une femme !

Ces dernières paroles furent prononcées

d'une voix si foible, que j'eus besoin de
toute mon attention pour les entendre. La
pitié naturelle au cœur des jeunes gens vint
émouvoir mon cœur : Rosambert, mon cher
ami, je vous plains. Ce n'est pas assez, me
répondit-il; il faut que vous me pardonniez..... Oh! de toute mon ame! — Et
que vous me rendiez votre amitié première....... — Avec bien du plaisir. — Et
que vous veniez me voir tous les jours,
jusqu'à celui qui doit terminer... — Quelle
idée ! la nature à notre âge a tant de ressources ! espérez...—Vraiment ! on espère
toujours, interrompit-il ; mais cela n'empêche pas qu'il ne faille un beau matin
prendre congé de ses amis.... Faublas, ré-
pétez-moi que vous me pardonnez...... —
Je vous le répète. — Que vous m'aimez
comme autrefois. — Comme autrefois.
—Donnez-m'en votre parole d'honneur.
— Je vous la donne. — Surtout, promet-
tez-moi que, sans en rien dire à la marquise, vous me viendrez voir exactement
jusqu'à mon dernier jour. — Rosambert,
je vous le promets. —Foi de gentilhomme?
—Foi de gentilhomme.

Eh bien ! s'écria-t-il gaiement, vous me ferez encore plus d'une visite..... Allons, Robert, ouvre les volets, tire les rideaux, viens me mettre sur mon séant.... Chevalier, vous ne me complimentez pas ! mon valet de chambre n'est-il pas un homme à talent ? Que dites-vous de son style ? savez-vous bien que sa lettre m'a coûté dix minutes de méditation profonde ! Hier les médecins m'ont annoncé qu'ils répondoient de moi : Monsieur Robert tout de suite a pris la plume..... Eh bien ! Faublas, pourquoi donc cet air sérieux et froid ? Seriez-vous fâché d'être sûr que cette fois encore j'en reviendrai ? Lorsqu'aujourd'hui vous me pardonniez, étoit-ce à condition que je me ferois enterrer demain ? trouveriez-vous qu'elle ne m'a pas assez puni, l'héroïque femme qui m'a terrassé ? Pour que vous fussiez bien vengé, falloit-il nécessairement qu'elle me tuât ? je ne l'ai pas tuée, moi, lorsque je tenois sa vie dans mes mains. Je l'ai seulement blessée, la délicate personne, doucement blessée, oh ! bien doucement ! j'étois sûr qu'elle n'en mourroit pas........

5*

mais je suis très-fâché qu'elle se soit affli-
gée de son petit malheur, au point d'en
perdre la tête. Parce que je l'avois une fois
vaincue dans son art même, falloit-il que,
désespérant à jamais des armes de son sexe,
elle prît celles du mien pour m'attaquer ?
Il est vrai qu'elle vient de s'acquérir l'im-
mortelle gloire d'avoir presque démis l'é-
paule de M. de Rosambert : il y a sans
doute à cela beaucoup d'honneur pour
elle ; mais du profit, je n'en vois point.
Tenez, Faublas, je vous le dis en confidence, et quelque jour peut-être la marquise elle-même daignera vous l'avouer :
en changeant la nature de nos combats,
madame de B*** s'est fait encore plus de
mal qu'à moi. L'amour, quand il existe,
entre deux jeunes gens de différent sexe,
une vieille querelle, a grand soin de la
rajeunir ; toujours il la renouvelle, pour
ne la terminer jamais. Les deux charmans
ennemis, devenus irréconciliables, ne ces-
sent de se poursuivre, de se joindre et de
se combattre. Or, tout le monde le sait,
dans cette lutte que l'on croiroit inégale,
ce n'est pas le plus foible adversaire qui

triomphe le moins souvent. Si quelquefois
lassée, la guerrière un instant chancelle,
le trop heureux athlète s'épuise au sein
de la victoire ; et ce n'est pas lui qui peut
jamais dissimuler une défaite, ni la pallier
de quelques excuses, ni se relever plus redoutable après une chute. Hélas ! c'en est
fait ! je ne dois plus ainsi mesurer mes
forces avec madame de B***. L'insensée !
elle a confié nos intérêts et sa vengeance
au cruel dieu de la guerre. Vénus ne nous
appellera plus ensemble à ses doux exercices ! c'est Mars qui va désormais nous
ordonner les combats...... les combats sérieux et sanglans ! nous aurons donc, à la
place des amours, les furies pour témoins;
et, pour champ de bataille, un grand chemin au lieu d'un boudoir. Et nos armes
même, ces armes courtoises dont elle et
moi faisions corps à corps un si loyal
usage, elles seront échangées contre des
pistolets meurtriers, qui de loin vous.....
—Des pistolets ! Comment ! vous retour-
nerez à Compiègne ?.... — Si j'y retour-
nerai ! quelle demande ! — Quoi ! Rosambert, vous irez vous battre avec une femme!

—Avec une femme? vous plaisantez: c'est
un grenadier que cette femme-là : d'ailleurs, j'ai promis... *j'ai promis*, Faublas,
il n'importe à quel dieu.—Quoi! Rosambert, vous irez exposer vos jours, pour
menacer !....—Votre avis, Faublas, est
donc que je n'y suis point en conscience
obligé ? — Certainement ! — Eh bien !
rassurez-vous, c'est le mien aussi. J'estime
que nos plus scrupuleux casuistes ne me
croiroient pas tenu de remplir un enga-
gement ridicule et cruel, arraché par la
force et surpris par la ruse; j'aime mieux
laisser mon héroïque adversaire se glorifier de ma défaite, que d'aller me com-
mettre avec une femme, pour l'envoyer
dans l'autre monde et retourner chez l'é-
tranger. Vous le savez d'ailleurs, je n'aime
pas le sang, je hais les duels, et je crois
en vérité que si j'étois encore obligé de
me battre, la mort me sembleroit préfé-
rable à l'ennui d'un second exil. Ah ! mon
ami, qu'ils se sont traînés lentement, les
jours de notre séparation! Bon Dieu ! l'as-
sommant pays que celui d'où je viens!
Cette Angleterre si prônée, qu'elle est

triste! allez-y, si vous aimez la philoso-
phie discoureuse, la politique babillarde
et les papiers menteurs. Allez-y, si vous
voulez contempler dans l'arêne du pu-
gilat, des seigneurs avec leurs porteurs
de chaises, des farces populaires dans le
double sanctuaire (1) de la loi, et des ci-
metières au théâtre, et des héros à la po-
tence. Courez à Londres, tâchez d'y reconnoître nos manières et nos modes
étrangement travesties, ou ridiculement
outrées par de maladroits singes et de
gauches poupées. Courez, Faublas; et
puissiez-vous former leurs petits-maîtres
automates! Puissiez-vous animer leurs
femmes statues! Si, nouveau Pygmalion,
vous y parvenez, qu'alors elles vous ras-
sasieront promptement de plaisirs accor-

(1) *La Chambre des communes et des pairs.*
Que si quelqu'un avoit l'injustice de me reprocher la manière superficielle et tranchante dont
le comte de Rosambert juge et dénigre ici la seconde nation de l'Europe, il me sera sans doute
permis d'observer, sans offenser personne, que
c'est un jeune seigneur français qui parle en 1784.

dés sans obstacles, goûtés sans art, répé-
tés sans variété! comme elles vous acca-
bleront ensuite de leur reconnoissance
sans bornes, et de leur tendresse sans fin!
Oui, je parie que dès la seconde nuit,
vous trouvez la satiété dans les bras d'une
anglaise. Eh! qu'y a-t-il de plus froid que
la beauté, quand les grâces ne lui donnent
pas le mouvement et la vie? Qu'y a-t-il de
plus insipide que l'amour même, lorsqu'un
peu d'inconstance et de coquetterie ne l'é-
gaient pas? Cette milady Barington, par
exemple, c'est une Vénus; mais... tenez,
je me sens aujourd'hui trop fatigué; demain je vous conterai l'histoire de notre
éternelle liaison, qui dureroit encore, si je
n'en avois hâté la fin par une plaisanterie
neuve et piquante (1). Chevalier, poursuivit-il en me tendant la main, j'avois be-

---

(1) Lecteur, vous saurez cette anecdote, s'il
m'est jamais permis d'écrire l'histoire de Rosambert. Alors aussi je pourrai probablement vous
apprendre les aventures de Dorothée. Maintenant, cela m'est encore défendu. *Le temps présent est l'Arche du Seigneur.*

soin de vous revoir... et de revoir la France.
Mon heureuse patrie, je le vois bien, est
l'unique patrie des plaisirs. Nous n'avons
pas le droit de juger nos pairs, mais chaque matin nous commençons, à la toilette
d'une jolie dame, le procès du roman de la
veille et de la pièce du lendemain. Nous
ne haranguons point nos parlemens, mais
nous allons le soir décider au spectacle et
trancher dans les cercles : nous ne lisons
point des milliers de gazettes au mois ;
mais la chronique scandaleuse de chaque
journée réjouit nos soupers trop courts.
Ce n'est pas, je l'avoue, par la noblesse
de leur port et la dignité de leur maintien,
que nos Françaises ordinairement se dis-
tinguent ; elles ont ce qui se fait admirer
moins et rechercher davantage : la taille,
la figure, la vivacité des Nymphes, l'abandon, le goût, la légèreté des Grâces ; elles
ont en naissant l'art de plaire et de nous
inspirer à tous le désir de les aimer toutes.
Il est vrai qu'on peut leur reprocher d'i-
gnorer en général ces grandes passions,
qui, dans moins de huit jours à Londres,
vous mettent une romanesque héroïne au

tombeau ; mais ce sont elles qui saven
comment on doit commencer une intrigu
et la finir à temps. Ce sont elles qui saven
provoquer par l'étourderie, éluder par l
ruse, avancer pour combattre, recule
afin d'attirer, précipiter leur défaite quan
il s'agit de l'assurer, la différer lorsqu'i
ne faut qu'en augmenter le prix, accorde
avec grâce, refuser avec volupté, tantô
donner et tantôt laisser prendre, continuellement exciter le désir, se garder d
jamais l'éteindre, souvent retenir un aman
par la coquetterie, le ramener quelquefoi
par l'inconstance, le perdre enfin avec ré
signation, sinon l'éconduire avec adresse
soit caprice ou désœuvrement, le reprendre, et le reperdre sans humeur, ou san
scandale le quitter encore. Ah ! j'avois be
soin de revoir mon pays. Oui, chaque jou
j'en suis plus convaincu, c'est dans mo
pays seulement qu'il me sera donné de re
trouver des maîtresses tour-à-tour volagé
et tendres, frivoles et raisonnables, empor
tées et sages, timides et hardies, réservé
et foibles ; des maîtresses qui, possédar
le grand art de se reproduire à chaqu

Instant sous une forme différente, vous font goûter mille fois, au sein de la constance, les plaisirs piquans de l'infidélité; des maitresses dissimulées, trompeuses, et même un peu perfides; usagées, spirituelles, adorables comme madame de B★★★. Ce n'est qu'aux heureuses femmes de Versailles et de Paris, qu'il est permis de rencontrer des jeunes gens élégans sans prétention, beaux sans fatuité, complaisans sans bassesse, souvent indiscrets, mais par légèreté seulement; inconstans, mais par occasion; séducteurs, mais par instinct; d'ailleurs infatigables avec une figure efféminée; avec un air modeste, entreprenans jusqu'à la témérité; des jeunes gens, qui, n'ayant jamais trop présumé ni de leur vive ardeur, ni de l'opportunité des lieux, ni de la facilité des personnes, surprennent celle-ci par les grands sentimens, celle-là par la gaîté, cette autre par l'audace; la défiante et craintive *Émilie*, dans son salon même où chacun peut entrer à toute heure; la coquette *Arsinoé*, non loin du lit conjugal où veille le jaloux; l'innocente *Zulma*, jusqu'au fond de l'étroite alcôve

7. 6

où sa vigilante maman vient de s'assoupir; des jennes gens qui, favorisés de la sensibilité la plus expansive, peuvent très-bien idolâtrer deux ou trois femmes à-la-fois; des amans enfin, des amans accomplis, comme Faublas, et comme... j'allois, Dieu me pardonne! citer Rosambert; mais je m'arrête; ce seroit, je le sens, profaner deux grands noms que de leur associer mon nom trop peu digne.

A ce galant tableau, je reconnus le pinceau de Rosambert, et je ne pus m'empêcher de sourire. Mon ami, ferai-je seul les frais de la conversation? poursuivit-il; allons, essayez-vous et parlez donc à votre tour. Dites-moi : la belle Sophie, qu'est-elle devenue? — Hélas! — Malheureux époux, je vous entends....... . Et de sa rivale qu'en faites-vous? — De sa rivale.... de sa rivale..... mais.... — Bon! s'écria-t-il en riant, il va me demander laquelle! cela doit être. Il entre dans le monde avec tous les moyens de s'y distinguer; et sa première aventure le met encore en évidence! Il faut bien que les femmes se l'arrachent! heureux mortel!...

eh ! voyons ? Les rivales de Sophie , combien sont-elles ? — Elles sont une , mon
ami. — Une ! quoi ! la marquise vous re-
tient toujours enchaîné ? — La marquise...
tenez, monsieur le comte , laissons la marquise ; je n'aime point à vous entendre
parler d'elle.

Le ton de ma réponse annonçoit un
mouvement d'humeur qui fut bientôt calmé , car j'aimois encore Rosambert, et sa
gaîté me séduisoit toujours. Mais en vain
me fit-il cent questions pour apprendre ce
qui m'étoit arrivé depuis notre séparation,
j'eus le courage de lui refuser toute espèce
de confidence : la confiance n'étoit pas re-
venue. Voilà bien de la discrétion perdue,
me dit-il enfin quand il me vit prêt à sortir : songez donc que, sans avoir seulement besoin de le demander, je saurai désormais tout ce que vous faites. Grâce à
moi, grâce à la marquise, et surtout grâce
à vos mérites , ajouta-t-il en riant, car je
ne prétends en rien porter atteinte à votre gloire ; grâce à vos mérites, vous voilà maintenant un personnage trop considé-
rable pour que le public ne s'informe pas

curieusement de ce que vous devenez : mais en attendant qu'il m'ait appris vos bonnes fortunes, chevalier, je crois devoir vous le répéter : Si vous aimez votre épouse, défiez-vous de madame de B★★★. Votre épouse, je le gagerois, n'aura jamais de plus redoutable ennemie... Adieu, Faublas, à demain, car je compte sur votre parole : et la marquise, souvenez-vous-en bien, doit ignorer que votre amitié m'est rendue. Adieu.

Un billet de madame de Montdésir arriva chez moi comme je venois d'y rentrer. La marquise me faisoit dire que le comte, dont les médecins avoient, dès la surveille, permis le transport, ne devoit pas être aussi mal que me l'annonçoit la prétendue lettre du prétendu valet de chambre. Madame de B★★★ me prioit en conséquence de vouloir bien ne pas faire à M. de Rosambert la visite sollicitée. — Je..... je ne la ferai pas... Dites que je ne la ferai pas. Telle fut l'insidieuse réponse que remporta le tardif commissionnaire.

Cependant le souvenir de Sophie me poursuivoit sans cesse, et mille regrets,

dès que j'étois seul, venoient m'assaillir :
j'avouerai néanmoins que le doux espoir
d'embrasser bientôt mon Éléonore, et
peut-être aussi, car le moyen de cacher
à mes confians lecteurs la moitié de mes
sentimens ! peut-être aussi le vif désir de
revoir la marquise, adoucissoient un peu
mon infortune et contribuoient à me rendre
des forces. Les fréquens messages de La
Fleur et de Justine m'annonçoient assez
que j'étois des deux côtés attendu avec une
impatience presque égale ; mais hélas ! si
jamais vous avez senti combien les passions
contrariées deviennent plus ardentes, plai-
gnez l'amant de madame de Lignolle, et
l'ami de madame de B***. M. de Belcour,
touché des maux qu'il m'étoit permis d'a-
vouer, mais insensible à mes peines secrètes, déploroit avec moi la perte de
Sophie et fermoit l'oreille aux plaintes mal
étouffées que m'arrachoit l'absence d'Éléonore. Malgré mes sollicitations indirectes,
malgré les représentations de la baronne,
mon père, cette fois inexorable, s'obstinoit à ne me laisser aucun moment de
liberté. Il venoit le matin s'établir dans

6*

mon appartement et m'accompagnoit le soir à la promenade. Ce fut ainsi que ma lente convalescence fut prolongée de huit mortels jours.

Le neuvième étoit le vendredi d'avant Pâques : une superbe matinée promettoit que le dernier jour de *Longchamps* seroit magnifique. Madame de Fonrose, qui vint dîner avec nous, proposa la promenade au bois de Boulogne : Nous emmenerons le chevalier, dit-elle à mon père. Trop malheureux pour rechercher les plaisirs bruyans, j'allois m'en défendre : un regard de la baronne m'avertit qu'il falloit accepter, et M. de Belcour nous ayant un instant quittés, madame de Fonrose me fit cette confidence d'autant plus agréable, qu'elle étoit moins prévue : Elle y va, parce qu'elle espère que vous y viendrez. — La comtesse ? — Eh ! qui donc ? vous aimeriez peut-être mieux que ce fût la marquise ? — Non, non. La comtesse ! j'aurai le bonheur de la voir ! — De la voir, c'est là tout ce que vous demandez ? — Tout ce que je demande...... oui,......... puisqu'il est impossible de... —

De! interrompit-elle en me contrefaisant ;
et s'il n'étoit pas impossible de ?... — Je
serois dans les cieux !...... — Dans les
cieux ! répéta-t-elle en affectant le même
ton que moi ; eh bien ! vous irez.... dans
les cieux !... Mais pour cela, convenons
auparavant de ce que vous avez à faire sur
la terre. D'abord, ne vous avisez pas de
vous enfermer dans une sombre berline
avec cette ennuyeuse madame de Fonrose
et cet importun baron de...Vous n'écoutez
point ? — Si fait, de toutes mes oreilles !
— Je le crois. Il tremble d'impatience ,
il a l'air de vouloir dévorer mes paroles....
Vous arriverez sur votre alezan. Quand
vous aurez fait une centaine de caracoles
à quelque distance du cabriolet où sera
votre amie, quand la comtesse aura pu
s'enivrer tout à son aise du plaisir de vous
voir , avec une grâce infinie , manier
votre joli cheval, le sien qu'elle gouver-
nera plus mal , ou mieux , prendra tout à
coup le mors aux dents. D'abord , sans
vous ébranler , vous suivrez de l'œil la fu-
gitive voiture ; mais un moment après ,

votre cheval, aussi vous emportera.........
d'un autre côté cependant, monsieur. —
D'un autre côté ? — Oui, mais rassurez-
vous. Après de longs détours, au bout
d'une heure... d'une heure entière, au
bout d'un siècle, l'animal, qui n'est pas du
tout bête, apportera justement Faublas
où l'attendra son Éléonore : devinez ? —
Chez elle, peut-être ? Quelle idée, est-ce
bien vous qui me répondez ainsi ?.... chez
moi, jeune homme. Vous n'y trouverez
que le suisse et mon *Agathe*, deux braves
gens qui ne voient, ne disent et n'enten-
dent que ce qui me plaît, des gens dont je
vous réponds. — Chez vous ! que de reconnoissance !.... — Vraiment, dit-elle,
d'un ton presque sérieux, j'espère que
vous vous comporterez comme des gens
raisonnables. Si je croyois que vous fissiez
seulement des enfantillages, je ne vous
permettrois que l'entrée de mon salon.
(Elle se mit à rire.) Mais je vous connois
tous deux, vous emploierez votre temps...
à des choses importantes..... vous ferez
une, ou deux, ou trois charades...... Que

sais-je, moi, tout ce dont Faublas est capable ? Tenez, voilà la clef de mon boudoir....... Ah ça ! mais pourtant, n'allez pas déplacer tous les meubles. Mes femmes, que je n'ai point accoutumées à des déménagemens, ne sauroient que penser. Ma réputation....... Je tiens beaucoup à ma réputation.....

M. de Belcour rentra; nous parlâmes encore de Longchamps : je témoignai la plus grande envie d'y paroître à cheval. Mon père observa que trop d'exercice pourroit m'être nuisible; mais il ne fit plus d'objection quand je lui représentai que la plus grande fatigue me seroit épargnée, s'il vouloit bien me donner une place dans sa voiture jusqu'au-dessus de la *grille de Chaillot*. Ce fut encore plus loin, ce fut à l'entrée du bois même que Jasmin alla m'attendre avec mon cheval. Le baron, à l'instant où je quittois son carrosse, reconnut la *Porte-Maillot*, et comme s'il eût pressenti la rencontre hasardeuse que j'allois faire : Voilà, dit-il avec un profond soupir, un endroit qui

sera toujours présent à ma mémoire; j'y
ai passé un des momens les plus pénibles
et les plus doux de ma vie.

Aussitôt je cherchai madame de Lignolle,
et je ne tardai pas à la rencontrer; et bientôt elle vit, avec une joie difficile à rendre,
elle vit, son amant passer auprès de sa voiture. Vous, jeunes gens, qui jouissez des
triomphes de Faublas, préparez-lui vos
plus grandes félicitations. Lui, qu'enivroit
déjà le plaisir d'admirer la comtesse et
d'être admiré d'elle, eut encore le bonheur d'entendre plusieurs personnes, en
la regardant, s'écrier : O la charmante
petite femme ! S'ils m'avoient donné quelque attention, ceux qui lui faisoient ce
compliment si doux à mon oreille, ils
auroient pu remarquer que je les remer-
ciois par un sourire, par un sourire or-
gueilleux qui sembloit leur répondre : C'est
mon Éléonore cependant ! elle est à moi,
cette femme que vous trouvez charmante !
et sans m'en apercevoir, je répétois :
Charmante petite femme !... charmante !..
Il est bien pour elle, cet éloge ! pour elle·

seule ! ses habits, sa voiture, ses gens ne
le partagent pas.... ses gens? Elle n'a qu'un
domestique, le confident de nos amours,
le discret *La Fleur*. Sa voiture ? c'est tout
uniment le petit cabriolet qui me l'amena
dans la forêt de Compiègne. Ses habits? ils
ne sont jamais ni recherchés, ni riches,
mais toujours frais et jolis. Elle est venue
ici comme elle reste chez elle, parée surtout de ses attraits. Comme elle lui va
bien, cette robe de linon, moins blanche
que sa peau ! que j'aime à lui voir, au lieu
de diamans, ces fleurs, touchans symboles
de son adolescence à peine commencée,
ces violettes printanières et ce précoce
bouton de rose qu'on diroit sans aucun
art jetés dans sa chevelure ! Ah ! jusqu'au
milieu des pompes du monde, que j'aime
à reconnoître, dans les plus simples atours
et dans le plus modeste équipage, la bienfaitrice de mille vassaux !

Mais dans la longue et double file des
voitures, où le hasard persécuteur lui
avoit-il fait prendre une place? le superbe
wiski dont elle est précédée, quelle déesse
porte-t-il ? quelle nymphe occupe le bril-

lant phaéton qui vient immédiatement
après la comtesse ?

Je vais d'abord au magnifique char :
une femme superbe y paroit dans tout le
faste de sa parure, dans tout l'éclat de sa
beauté. Sa première vue impose à tous le
silence de l'admiration ; les courtes exclamations de l'enthousiasme s'élèvent ensuite ; puis succède un léger murmure ;
puis on entend chacun se répéter : Oui,
la voilà, c'est elle, c'est la marquise de
B★★★.

Qui lui disputoit cependant les honneurs de Longchamps ? la jolie femme du
phaéton. Négligemment assise dans une
conque lilas, plaquée d'argent, elle manie
avec abandon des guides si riches, qu'on
ne croit point que ses mains délicates
puissent long-temps en soutenir le poids.
Elle paroit, en se jouant, retenir quatre
chevaux isabelle, à tous crins, superbe-
ment enharnachés, couverts de rubans et
de fleurs ; quatre fringans chevaux, qui,
relevant fièrement leurs têtes, de leurs
pieds frappant la terre, et couvrant leurs
mors d'écume, semblent s'indigner qu'une

femme et un enfant (1) aient la témérité
de les conduire. Tout le monde voit bien
que la nymphe a moins de contenance
que de manières, et moins de fraîcheur
que d'éclat ; mais personne ne sauroit dire
s'il y a plus d'indécence dans son maintien,
que de friponnerie sur sa figure; s'il y a
plus de richesse que d'élégance dans le
luxe effréné de son équipage et de ses habits. Cependant, ô madame de B*** ! cette
femme maintenant chargée de panaches,
de diamans et de broderies, promenée sur
un char triomphal, environnée de jeunes
seigneurs et poursuivie des joyeux applau-
dissemens de la multitude, pouvez-vous
deviner que c'est la petite fille qui fut pendant un an votre servante ? M. de Valbrun
s'est donc ruiné ?

Je passai plusieurs fois devant le wiski
de madame de B*** : elle eut l'air de ne
me pas voir; j'eus la discrétion de ne la
pas saluer; mais, curieuse apparemment de
savoir si j'étois là pour elle, la marquise

_____

(1) Le jockei, monté sur l'un des deux premiers chevaux.

7.

promena de toutes parts ses regards inquiets. En se retournant, elle reconnut dans
son cabriolet modeste madame de Lignolle, qu'elle honora d'un gracieux sourire, et sur son char de triomphe madame
de Mondésir, qu'elle humilia d'un coup-
d'œil protecteur. Il y a tout lieu de penser
que madame de B***, si près de la comtesse
dont elle connoissoit les jalouses vivacités,
et non loin de Justine qui pouvoit se permettre quelques familiarités imprudentes,
ne se crut pas en sûreté. Ce qui est du
moins certain, c'est qu'à l'instant même
elle sortit des rangs pour aller prendre la
file un peu plus haut. Peut-être aussi fut-
elle déterminée à cette espèce de fuite,
parce qu'elle aperçut de loin son mari qui
sembloit piquer droit vers moi.

Mon premier mouvement fut de re-
brousser chemin, pour éviter le malen-
contreux cavalier; mais par réflexion, crai-
gnant sans doute assez mal-à-propos qu'il
ne me soupçonnât d'une lâcheté, je pris
le parti de continuer ma route. Je crus
même devoir ne plus aller qu'au petit pas,
et regarder fièrement l'ennemi qui s'appro-

choit. J'étois pourtant bien résolu, comme on le devine, à laisser passer M. de B***, s'il ne m'abordoit pas.

Il m'aborda : Je suis, monsieur le chevalier, charmé du hasard... — N'achevez pas, monsieur le marquis, je vous entends : mais que signifie ce mot hasard, je vous en prie? Il n'est pas, ce me semble, tout-à-fait impossible de me rencontrer dans le monde, et quiconque d'ailleurs a quelque chose de pressant à me dire, est toujours sûr de me trouver chez moi. — Vraiment! je voulois y aller chez vous! —Qui a pu vous en empêcher?—Qui? ma femme. — Eh bien! monsieur, vous croyez donc que madame la marquise a mal fait?—Pas trop mal, dans un sens. Elle avoit ses raisons..... — Ses raisons? — Pour m'engager à ne pas vous faire ma visite; moi, j'avois les miennes pour désirer du moins de vous joindre quelque part, monsieur le chevalier. — La rencontre est donc, comme vous disiez tout-à-l'heure, fort heureuse. — Oui, parce que je vais avoir avec vous une nouvelle explication.....— Ah! tout-à-l'heure, si vous le voulez, monsieur le marquis! — De tout mon cœur. — Sortons de la foule. —Sortons... mais je vous demande bien pardon.— Et de quoi?

En m'en allant, je crus ne pouvoir pas me dispenser de saluer madame de Lignolle, et de tâcher de lui faire comprendre par mes signes que j'allois bientôt revenir.

Vous regardez sans cesse de ce côté, reprit M. de B***; c'est apparemment cette jolie femme du phaéton qui vous occupe? Je vous dérange. — Ah! laissez donc la plaisanterie, monsieur le marquis. — Je ne plaisante point!... Arrêtons-nous ici. — Ici! nous serons mal. — Pourquoi? personne ne nous entendra.—Mais tout le monde pourra nous voir! — Qu'importe? — Qu'importe!.... Enfin, comme il vous plaira, monsieur...... vous avez donc vos pistolets? — Mes pistolets? — Sans doute. Ni vous ni moi n'avons d'épée. — Eh! pourquoi donc faire des pistolets et des épées, monsieur le chevalier? —Comment pourquoi faire? Est-ce qu'il n'est pas question de nous battre? — Nous battre! au

contraire, monsieur. C'est que je me repens de m'être déjà battu avec vous. —
Bon! — Je me repens de vous avoir fait
une mauvaise querelle. — Ah! — D'avoir
causé votre exil. — Ah! ah! — Et par
suite, votre emprisonnement. — Monsieur
le marquis!... vous conviendrez que je ne
pouvois pas deviner cela!—Voilà pourquoi
je vous cherche depuis que vous êtes sort[1]
de la Bastille. — En vérité, vous êtes trop
bon.—Et, comme je vous l'ai dit, j'aurois
même été chez vous, si ma femme..... —
Madame la marquise a très-bien fait de
vous le déconseiller; c'eût été pousser
trop loin....... — Je ne sais pas! un galant
homme ne sauroit trop vite et trop bien
réparer une offense. Voilà mon avis, à
moi. Tenez, vous en avez fait la fâcheuse
expérience : je suis vif, je m'emporte sur
un mot, je me fâche avant de m'expliquer;
mais l'instant d'après je reviens et je conviens franchement de mes torts. Oh! tous
mes amis vous le diront : je gagne à être
connu, je suis dans le fond un bon diable.
—Vous m'en voyez convaincu. — Bien!
mais dites que vous me pardonnez.—Vous

7*

vous moquez ! — Dites-le, je vous en prie.
— Jamais ! jamais je ne pourrai... — Vous
ne me pardonnerez jamais ? — Ce n'est
pas cela que.... — Écoutez-moi : je vous
ai avoué mes torts, je ne dois pas non
plus vous dissimuler mes services : c'est
moi qui vous ai fait sortir de la Bastille.
—Vous, monsieur le marquis ! — Moi-
même. Je me suis mis aux genoux de ma
femme, pour obtenir d'elle qu'elle solli-
citât votre liberté. — Et vous avez pu l'y
résoudre ? — Vraiment ! ce n'a pas été
sans peine ! mais il faut lui rendre justice :
ensuite elle a pris cette affaire à cœur autant que moi. Elle a pressé le nouveau ministre avec une ardeur dont vous n'avez
pas d'idée ! — On dit qu'elle est bien avec
le nouveau ministre ? — Au mieux ! ils
s'enferment ensemble pendant des heures
entières.... c'est une femme de mérite que
ma femme... je la connoissois bien quand
je l'ai épousée ; sa figure promettoit beaucoup, et la marquise a tenu tout ce que
promettoit sa figure.... A propos, si vous
désirez quelque emploi, quelque pension,
quelque lettre de cachet... — Sensiblement

obligé.—Vous n'avez qu'à parler ! madame
de B*** aura une conversation particulière
avec.... — Je vous rends mille grâces ! —
Pour en revenir à nous....... mais vous ne
m'écoutez point ?—Je regarde là-bas cette
vieille dame !..... N'est-ce pas la marquise
d'Armincourt ?—Je ne la connois pas.—
Oui, c'est-elle ;.... Monsieur le marquis,
ne tournons plus les yeux de ce côté-là.—
J'entends ! vous ne vous souciez pas d'être
obligé d'aller faire votre cour à cette
douairière ?—Pas infiniment. — Pour en
revenir à nous, je vous ai donc fait sortir
de la Bastille : et puis, n'avois-je pas eu
déjà ce que je méritais ? ne m'aviez-vous
pas donné ce fier coup d'épée.....—Je ne
me consolois pas d'y avoir été forcé, je
vous assure. — Oh ! c'étoit un maître coup
d'épée, celui-là ! savez-vous bien que j'en
ai pensé mourir ? — C'eût été pour moi,
je vous en donne ma parole d'honneur,
un éternel sujet de chagrin. — Vous ne
m'en vouliez donc pas ? — Pas du tout. —
Comment, en ce cas-là, refusez-vous aujourd'hui de me pardonner ? — Moi, je ne
demande pas mieux.—Monsieur le cheva-

lier, j'en suis ravi d'aise !—Et vous, monsieur le marquis, vous me pardonnez donc
aussi ?—Si je vous pardonne ! mais de l'aveu
de ma femme elle-même, vous n'avez eu
dans toute cette affaire que de très-légers
torts avec moi.... et avec elle... mais très-
légers.

Cette conversation, qui d'abord ne m'a-
voit paru que fâcheuse, m'amusoit maintenant et piquoit ma curiosité ; mais je
sentois que madame de Lignolle, déjà
très-étonnée de mon départ, devoit attendre mon retour avec une mortelle impatience, et pourroit, s'il tardoit long-
temps, faire une étourderie : Monsieur le
marquis, nous voilà d'accord, rentrons
dans la foule. — Nous causerions ici plus
à notre aise.—Nous serons tout aussi bien
là-bas.—Je le disois bien que la jolie fille
lui tenoit au cœur, s'écria M. de B***.

En effet, ce fut auprès de la demoiselle
du phaéton que je le reconduisis ; mais ce
fut la dame du cabriolet qui s'attira tous
mes regards, et je n'ai pas besoin de vous
dire qu'elle parut enchantée de me voir ;
cependant il m'étoit aisé de m'apercevoir

que cet étranger dont elle me voyoit suivi
l'inquiétoit. Madame de Montdésir aussi
parut excessivement flattée du nouvel hom-
mage que j'avois l'air de lui rendre, en
revenant une seconde fois grossir le nombre de ses adorateurs ; mais aussitôt qu'elle
eut reconnu son ancien maître dans le
cavalier qui m'accompagnoit, elle étouffa
quelques éclats de rire, pour lui lancer,
comme à moi, des coups-d'œil très-signi-
ficatifs. Cependant le marquis, revenant
à sa première idée, me disoit :

Vous n'avez eu, par rapport à la marquise et par rapport à moi, que des torts
très-légers, de ces torts que tout autre
jeune homme...... — N'est-il pas vrai,
monsieur, qu'à ma place tout autre eût
fait de même que moi ? — Sans doute.
Mais c'est M. de Rosambert qui, dans tout
cela, s'est conduit on ne peut pas plus mal;
aussi nous resterons brouillés jusqu'à la
mort. M. Duportail a bien, de son côté,
quelques petits reproches à se faire. —
Vraiment ! oui.... — Vous en convenez
donc ? — Assurément. — Ce fatal jour que
je vous rencontrai tous aux Tuileries,

M. Duportail devoit conserver plus de présence d'esprit, me tirer à part, m'avertir que l'honneur et le repos de toute une famille l'obligeoient à ce mensonge...... Pouvois-je deviner, moi ! — Certainement non. — Mademoiselle votre sœur aussi n'auroit pas mal fait d'essayer de me glisser un mot à l'oreille ; mais la jeune personne avoit peur, son père étoit là ! Vous, monsieur le chevalier... — Ah! moi....— Voyons ! que voulez-vous dire ? — Non, non, parlez. — Après vous. — Point du tout, monsieur le marquis, je vous ai interrompu. — Cela ne fait rien ! dites. — Dites vous-même. — Je vous en prie ! — Je vous le demande en grâce. — Eh bien ! vous, monsieur le chevalier, vous ne me deviez aucune confidence. D'abord il ne vous convenoit pas de m'accuser les petits écarts de mademoiselle votre sœur... Ceci vous fait de la peine ?... Oh ! ne me croyez pas capable de causer ! J'ai donné ma parole d'honneur..... Et gardez-vous d'en vouloir à la marquise : je ne lui ai point surpris vos secrets d'abord ! ce n'est pas non plus pour le plaisir de parler, qu'elle

me les a confiés. — Je le crois, je crois
madame la marquise incapable d'une mal-
adresse ou d'une indiscrétion. — Incapable ! c'est le mot....... Les étourderies de
mademoiselle votre sœur, une dangereuse
plaisanterie que vous avoit conseillée M. de
Rosambert, et le dernier mensonge de
M. Duportail, avoient à mes yeux étrangement compromis la marquise. J'accusois ma femme....... Oh! je lui en ai demandé cent fois pardon, et je me le re-
proche encore tous les jours ... J'accusois
ma femme..... la femme la plus sage! Si
c'étoit seulement par principes, on pourroit s'en défier..... mais chez elle, ajouta-
t-il très-bas, la sagesse est solide; elle
tient à un tempérament de glace; car, le
croiriez-vous? c'est par pure complaisance que madame de B*** me donne de
temps en temps une nuit, à moi qui suis
son mari et qu'elle adore........ Je l'accusois cependant. Il a donc fallu que, pour
se justifier, elle me contât vos petits chagrins de famille... que je savois à-peu-
près. — Enfin, monsieur le marquis, ce
qui me fait grand plaisir, c'est de vous

entendre convenir que je ne devois pas
vous avouer les écarts de mademoiselle
Duportail. — Ne dites donc plus Duportail! vous voyez que je suis au fait! — De
mademoiselle de Faublas, puisque vous le
voulez. — Bon!..... D'abord, vous ne le
deviez pas; et puis, si vous aviez eu l'air
de solliciter une explication; moi qui,
dans ma colère, brûlois d'en venir aux
mains, j'aurois été peut-être assez injuste
pour vous soupçonner de manquer de
courage. Or, un jeune homme ne sauroit soutenir avec trop de fermeté sa
première affaire; et, dans celle-ci, je
l'ai dit à la marquise, qui s'est vue forcée
de le reconnoître, vous vous êtes en tout
point montré comme le plus brave des
hommes... Oui, vous êtes plein de cœur !
et quiconque s'y connoit, le voit dans
votre physionomie..... Oh! j'ai pour vous
beaucoup d'estime, et ma femme aussi.....
Tenez, je vous engagerois à nous venir
voir; mais le public est si bête! quand une
fois il lui a plu de donner à telle femme
tel amant, il n'en revient pas. Je trouve
quantité de gens qui ne mettent que de la

complaisance à ne me point contredire,
quand je leur affirme que je ne suis pas....
vous le leur protesteriez vous-même, qu'ils
ne vous croiroient pas d'avantage ! et cependant personne, excepté la marquise, ne
le sait aussi bien que vous. Mais remarquez
un peu l'extrême différence : à présent que
je suis tranquille sur votre aventure, vous
et cent mille autres jeunes gens plus ai-
mables, s'il y en a, pourroient à la file se
donner à tous les diables, avant de me
persuader qu'ils ont obtenu les faveurs de
la marquise. Je vous ai déjà dit combien
de raisons me font croire à la sagesse de
madame de B★★★; il y en a encore une
qui me paroit seule aussi forte que toutes
les autres ensemble : je m'avise quelquefois
de me regarder au miroir, et je ne trouve
pas dans ma physionomie un trait, un seul
trait qui annonce que je puisse être........
Que diable ! M. de B★★★ ne voit pas du
tout qu'il ait la figure d'un sot ! et M. de
B★★★ s'y connoit !..... Ah ça ! mais, don-
nez-moi donc un peu d'attention. Depuis
une heure il ne m'écoute que d'une oreille !
Il a toujours les yeux tournés sur

la jolie fille !... Il me semble aussi que, de temps en temps, elle vous regarde ? En vérité, elle vous lorgne ! —Point du tout, monsieur le marquis, c'est vous qu'elle agace. — Oh ! que non ! vous êtes plus joli garçon que moi. Ce n'est pas qu'à votre âge je n'aie été fort bien ; mais dame ! vous avez maintenant l'avantage de la première jeunesse..... Pourtant, je crois que vous ne vous trompiez pas ! je crois que j'ai ma part des œillades que lance la princesse!... Je vous avouerai franchement qu'elle commence à me tourmenter un peu. C'est pour moi du tout neuf au moins ; il faut que cela soit très-nouvellement sur le trottoir ! Dites-moi son nom. — Son nom ?....je l'ignore. — Et sa demeure? — Je ne la sais pas. —Mais pourtant, vous la connoissez ? —Ah ! comme on connoît ces filles-là !.... de réminiscence !... Oui, je crois me rappeler que j'allois assez fréquemment souper dans une maison tierce, où quelquefois, la trouvant sous ma main, je lui faisois faire sa partie ; tenez, à peu près dans le même temps que j'avois cette fantaisie pour une certaine Justine, vous savez? —

Oui ! oui ! une des femmes de la marquise, cette petite dévergondée, que vous veniez commodément caresser jusque dans mon hôtel. Oh ! monsieur le libertin, j'ai été trop bon chez ce commissaire ! —Monsieur le marquis, vous direz tout ce qu'il vous plaira, je ne puis me persuader que cette beauté-là vous soit tout-à-fait inconnue. Faites-moi donc le plaisir de vous approcher davantage et de la regarder comme il faut. — Ma foi, vous avez raison ; j'ai vu quelque part ce visage chiffonné. Tout-à-l'heure nous parlions de Justine ; cette petite fille en a un faux air. Il me semble que la ressemblance est grande. —Grande ? Non. — Moi, je le trouve. — Oh ! mais, vous, s'écria-t-il avec feu, vous n'êtes pas physionomiste !...... Puisqu'il est question de ressemblance, savez vous ●ux individus entre lesquels il y en a une frappante ? Mademoiselle votre sœur et vous. Ah ! parlez-moi de cela, par exemple ! Le plus habile en peut être dupe ! Moi, moi, qui suis le premier du royaume pour la science physionomique, je m'y suis mépris !....... plusieurs fois !.... plusieurs fois mépris ! Il

paroît que mademoiselle votre sœur aime
beaucoup les plaisirs. Quand elle est fatiguée, pâle, exténuée, on s'aperçoit bien
que ce n'est pas vous ; mais lorsqu'elle est
dans ses jours de santé, le diable vous verroit l'un à côté de l'autre, qu'il ne sauroit
dire quelle est la fille et quel est le garçon !
A propos, parlerez-vous à mademoiselle
votre sœur de notre rencontre ? — Si cela
peut vous être agréable............. — Oui,
faites-moi le plaisir de lui dire que, malgré les fâcheux quiproquos auxquels son
premier déguisement a donné lieu, je
l'aime toujours de tout mon cœur ; et,
quoique monsieur votre père soit un peu
vif, assurez-le de toute mon estime. Dites
même à M. Duportail que je ne lui en
veux pas beaucoup, pas.... — Monsieur le
connoisseur voyez dans ce cabriolet qui
précède le phaéton ; voyez un peu cette
jeune femme ; voilà ce que c'est qu'une
figure ! voilà ce qu'on peut appeler une
charmante petite personne ! Bien moins
parée que l'autre, et bien plus jolie ! et
ça n'a pas l'air d'une fille....—Une femme
comme il faut, *parbleu !* je connois cette

livrée. Au reste , ajouta-t-il , en se ren-
gorgeant , je suis bien aise de vous avertir
que depuis long-temps aussi cette dame
nous regarde ; et beaucoup, et souvent !...
tenez ! ne diroit-on pas qu'elle veut nous
parler ?

Il est vrai que madame de Lignolle per-
doit patience , et tâchoit de me faire entendre par ses signes qu'il falloit enfin , à
quelque prix que ce fût, me débarrasser
de cet importun cavalier , pour la venir
joindre incessamment au lieu du rendez-
vous, où , lassée d'attendre , elle alloit
courir. Plusieurs fois emportée par son
impétuosité naturelle , la comtesse se mon-
tra toute entière hors de sa voiture. Cependant madame de Montdésir, du haut de la
sienne , put remarquer les impatiences
d'une rivale ; je ne crois pas qu'alors il lui
fût possible de voir que c'étoit madame de
Lignolle qui lui enlevoit mon attention ;
mais sans doute elle le soupçonna. Ce fut
pour s'en assurer qu'elle fit sur-le-champ
donner à son jockei l'ordre un peu trop
hardi de quitter son rang et d'essayer de
couper le cabriolet. Il ne put le couper,

8*

mais durant quelques secondes il marcha tout auprès, sur la même ligne, et puis le devança de quelques pas. Justine qui reconnut alors madame de Lignolle, se permit de la saluer d'un air insolemment familier ; elle osa même, en la regardant avec affectation, pousser d'impertinens éclats de rire. Je fus indigné ! j'allois....... je ne sais pas tout ce que j'allois faire ! La comtesse ne me laissa pas le temps de la compromettre en la vengeant. Trop vive pour endurer tranquillement un affront pareil, la comtesse aussitôt cria *gare*, poussa son cheval, d'un coup de fouet coupa le visage de madame de Montdésir, et du même temps accrocha le léger phaéton, si bien et si ferme, qu'elle mit en pièces l'une de ses roues. Le char versa, l'idole fut culbutée ; je craignis un moment qu'elle ne se brisât la face contre terre. Heureusement que dans sa chute, Justine, par un mouvement machinal, jeta ses bras en avant, de sorte qu'aux dépens de plusieurs meurtrissures, ses mains sauvèrent quelques contusions à son visage, déjà bien maltraité. Mais, par un

accident qui devint comique, il arriva que
les pieds de la nymphe restèrent, je ne
sais comment, retenus en haut de son
char : or, dans cette posture, rien ne put
empêcher les jupes de retomber sur les
épaules en découvrant une autre partie,
et le malin zéphir ayant à propos soulevé
la fine toile qui seule restoit alors sur la
blanche peau, madame de Montdésir fit
voir.... respectons les bizarreries de la
langue : il seroit grossier de nommer par
son nom ce que Madame de Montdésir fit
voir. Je dirai du moins ce qu'il m'est permis de dire : c'est que toute l'assemblée
trouvant ce nouvel Antinoüs (1) fort joli,
applaudit à son apparition par de grands
claquemens de mains.

Quelques jeunes gens néanmoins cou-
rurent à la désolée personne ; et moi-
même, aussitôt calmé par le touchant spectacle de son infortune, je mis pied à terre
pour l'aller secourir. Attendez, me dit
M. de B***, j'y vais avec vous, car je

_____

(1) Si vous avez oublié ce passage de l'histoire
de Rome, consultez-le : la chose en vaut la peine.

la plains, et je vous le répète : j'ai vu cette
figure-là quelque part. — Oh ! pour celui-là, monsieur le marquis, je ne le pas-
serai pas à un physionomiste ! vous êtes
aussi trop bon d'appeler cela une figure !
Au reste, que vous vous obstiniez ou non
à soutenir que c'en est une, je vous déclare qu'elle est un peu de ma connoissance ; et quant à vous, je doute que vous
l'ayez jamais vue.

Lorsque je me trouvai près de Justine,
on l'avoit déjà remise sur ses pieds. Ah !
s'écria-t-elle en me voyant, ah ! monsieur
de Faublas, comme elle vient de m'équi-
per ! Je l'interrompis, je lui dis bien bas :
Ma chère enfant, tu n'as que ce que tu
mérites ; mais ne t'avise pas de nommer
la comtesse, car, sur mon honneur, tu
n'en serois pas quitte à si bon marché.
Ah ! monsieur de Faublas, vous croyez
qu'elle a bien fait ? reprit Justine au désespoir.

Elle avoit plusieurs fois prononcé mon
nom, plusieurs voix le répétèrent : aussitôt il circula dans l'assemblée, et vola de
bouche en bouche. La foule qui envi-

ronnoit madame de Montdésir, me pressa
tout-à-coup, de manière qu'à peine le
marquis et moi nous eûmes la liberté de
remonter à cheval, et qu'il fallut aller au
petit pas. Le nombre des curieux ne fit à
chaque instant que s'accroître. Jeunes gens
et veillards, hommes et femmes, piétons
et cavaliers, tout accourut, tout vint se
jeter au-devant de moi : les voitures même
s'arrêtèrent. Aucun des héros de la patrie,
d'Estaing, la Fayette et Suffren, et mille
autres, au retour des plus glorieuses ex-
péditions, ne virent autour d'eux, dans les
promenades publiques, une affluence plus
prodigieuse. Et pourtant ce n'est, ô de
toutes les nations la plus légère, ce n'est
qu'à mademoiselle Duportail que vous
prodiguez tant d'honneurs !

Quel jeune homme assez maître de lui,
quel jeune homme cependant eût repoussé
le charme de ce triomphe? un moment
j'en fus enivré; un moment je sentis quelque orgueil à la vue de tant de jeunes gens
qui, renommés dans l'art de plaire, et fameux par leurs amours, paroissoient pro-
clamer en moi leur vainqueur. Les fem-

mes, surtout, les femmes! ce fut avec
transport que je me vis l'objet de leur attention! Le vif désir d'en être plus digne,
dut prêter à mon maintien plus de grâce,
à ma figure plus d'expression. Et d'un regard plus doux je dus répondre à leurs
caressans regards, qui sembloient me pro-
mettre à jamais d'heureux engagemens! Et
d'une oreille plus avide, je dus recueillir
leurs enchanteurs éloges qui me décernoient
sur tous le prix de la beauté!

Mais pardonne, ô mon Éléonore! pardonne une erreur: le vain prestige ne dura guère. Faublas pouvoit-il s'arrêter à
Longchamps? pouvoit-il y rester long-
temps, retenu par les illusions doublement
trompeuses de l'amour-propre et de la
coquetterie; quand l'amour, l'impatient
amour l'attendoit à Paris, pour des triomphes non moins flatteurs et de plus solides
jouissances?

Monsieur le marquis, si nous tâchions
de nous débarrasser de la foule? J'y consens, me répondit-il; mais dites-moi
donc comment il se fait que vous soyez
connu de tant de monde? — Vous savez

ce que c'est que ce pays-ci. Tout ce qui
n'est pas absolument ordinaire y fait du
bruit, et vous donne pendant vingt-
quatre heures une espèce de réputation:
notre combat, mon exil, ma prison. Il
m'interrompit : Me suis-je trompé? n'est-ce
pas mon nom?... — Oui, c'est votre nom
qui vient de retentir à mes oreilles; et,
tenez, voilà que deux cents personnes le
crient. Deux mille! répondit-il avec une
grande joie, mais, pour moi, cela ne m'é-
tonne pas, je suis très-répandu. — Le
bruit va toujours croissant. Bon dieu! quel
tintamarre? — C'est que tous ces gens-là
sont bien aises de nous voir ensemble!
Oui, je vois sur leurs physionomies qu'ils
sont bien aises. C'est une chose charmante
pour eux d'être sûrs que nous voilà récon-
ciliés. En effet, c'étoit bien dommage que
les deux hommes de France les plus.... —
Monsieur le marquis, je crois, comme vous
le dites, qu'ils sont bien aises; mais dépê-
chons-nous d'échapper à leurs applaudis-
semens.

Ils étoient bien aises, car ils rioient de
toutes leurs forces; et c'étoit visiblement

à M. de B★★★ que s'adressoient leurs ap-
plaudissemens maintenant dérisoires. **Le**
marquis cependant paroissoit plus joyeux
de leur gaîté, que je n'avois été fier de
leurs hommages. Ce fut bien malgré moi,
mais au grand contentement de mon com-
pagnon illustré, qu'il fallut suivre les flots
de cette multitude jusqu'à l'extrémité de
la file. Là, je parvins, non sans beaucoup
de peine, à m'ouvrir un passage dans les
rangs un peu moins serrés de nos admira-
teurs ; là, je fis mes adieux à M. de B★★★
qui, ne les voulant pas encore recevoir,
suivit mon cheval de toute la vitesse du
sien. D'autres cavaliers aussi se mirent à
galopper sur ses traces : mais ce n'étoit
point à lui qu'ils en vouloient, puisque,
l'ayant passé bientôt, ils ne ralentirent
pas la rapidité de leur course. Je conservai
quelque temps l'espérance de leur échapper par la fuite ; mais comme, après de
longs et d'inutiles détours, je me vis sur le
point d'être atteint, il me parut nécessaire
d'essayer des moyens peut-être plus puis-
sans, pour écarter ces indiscrets persécu-
teurs.

Je me retournai sur eux ; c'étoient des
pages, j'en comptai huit : Messieurs, que
puis-je faire pour votre service ? — Nous
permettre de vous voir et de vous embrasser, me fut-il aussitôt répondu. — Messieurs, vous êtes bien jeunes, mais pourtant vous devez être raisonnables. Pourquoi donc, je vous prie, hasarder avec un
galant homme une mauvaise plaisanterie
qui peut avoir des suites fâcheuses ? — Ce
n'est point une plaisanterie, répliqua l'é-
tourdi qui s'étoit chargé de porter la parole, nous serions désolés de vous offenser;
mais en vérité nous mourons d'envie d'embrasser mademoiselle Duportail. — Non,
dit un autre plus avisé, pas mademoiselle
Duportail, mais le généreux vainqueur du
marquis de B***.

Tandis qu'ils me parloient, je prome-
nois sur la campagne des regards inquiets;
je l'entrevoyois déjà ce fâcheux marquis !
il s'approchoit à vue d'œil, et je tremblois
pour mon rendez-vous : Messieurs, je ne
connois point mademoiselle Duportail;
mais, tenez, le temps me presse, finissons :
s'il faut absolument que Faublas soit à la

ronde embrassé, j'y consens, à condition
cependant que vous allez attendre, arrêter
et retenir sous quelque prétexte, pendant
plusieurs minutes, ce cavalier que vous pouvez apercevoir d'ici. Vous me rendriez
même un grand service, si, pour plus de
sûreté, vous vouliez l'engager à reprendre
avec vous le chemin de Longchamps.

Comme je parlois encore, un homme
assez mal vêtu, que d'abord j'avois pris
pour le laquais de l'un de ces jeunes gens,
s'approcha de moi d'un air mystérieux.
Alors, malgré le chapeau rabattu qu'il tenoit enfoncé sur ses yeux, je reconnus M.
Després, le cher docteur de Luxembourg.
Il me dit bien bas : Je ne veux pas
vous embrasser moi, mais j'accours pour
vous annoncer que madame de Montdésir
vous prie instamment de passer un instant
chez elle. — Madame de Montdésir!....
oui, oui, je comprends!..... Mon cher,
dites que j'en suis au désespoir, mais qu'il
m'est absolument impossible de me rendre à son invitation avant deux bonnes
heures.

Cependant mes écervelés de pages tous

ensemble me promirent d'arrêter et de rammener avec eux l'importun cavalier qui n'étoit plus qu'à très-peu de distance. Ils me le promirent, ils m'embrassèrent, ils me virent avec regret m'éloigner le plus vite possible.

Il étoit temps que j'arrivasse, madame de Lignolle trouvoit les momens bien longs. Dès qu'elle me vit, elle m'accabla de reproches. Mon amie, que vous êtes injuste! est-ce ma faute si cette femme a l'audace?.. — Oui! c'est votre faute. Pourquoi connoissez-vous de pareilles créatures? Pourquoi m'avez-vous fait pour cette madame de Montdésir une infidélité? — Bon! vous allez rappeler une querelle oubliée! — Oubliée? jamais! de ma vie je n'oublierai que j'ai sottement baisé la main de cette impertinente...... qui ose aujourd'hui se prévaloir... — Vous venez de l'en punir; vous l'avez défigurée. — J'aurai dû la tuer! — Peu s'en est fallu. Elle est tombée du haut en bas de sa voiture brisée... — Du haut en bas! s'écria la comtesse avec beaucoup d'inquiétude. Mon dieu! je l'ai peut-être dangereusement blessée? — Non; mais...

Ici, pour calmer tout-à-fait madame de Lignolle, je me hâtai de lui raconter la déconvenue de Justine; et je vous laisse à penser combien mon récit rapide, mais fidèle, amusa la comtesse, vive dans ses gaîtés comme dans ses fureurs. Je craignois qu'à force de rire elle ne suffoquât. Je la serrai dans mes bras, croyant que l'heure du raccommodement étoit venue. Je me trompois : la cruelle Éléonore repoussa son amant. Vous serez toujours, me dit-elle, en reprenant sa colère, toujours le plus ingrat des hommes!....... Depuis un siècle je péris d'amour et d'impatience; cependant c'est à moi qu'il laisse le soin d'inventer quelque moyen de nous réunir! — Mon amie, c'est inutilement que j'en ai tenté plusieurs. — Enfin, je trouve un expédient favorable, je vole à ce Longchamps qui m'ennuie, j'y vole pour voir Faublas, uniquement pour le voir! il y vient en effet, mais afin d'avoir l'occasion de faire en même temps sa cour

à mes deux rivales! — Éléonore, je te jure
que non. — Et pour comble de perfidie,
le barbare! il arrange tout cela de manière
que moi, dont la jalousie déchire le cœur,
je me trouve justement placée entre mes
deux mortelles ennemies! — Quoi! vous
prétendez que c'est encore ma faute? —
Oui, tâchez, menteur que vous êtes, tâchez de me persuader que c'est le hasard
qui a voulu que la voiture de madame de
B*** précédât la mienne. — Éléonore, je
t'en donne ma parole d'honneur. — Elle a
bien fait de s'en aller, cette madame de
B***! vous avez bien fait de ne la pas suivre! je venois de l'entrevoir! un moment
plus tard je vous donnois à tous deux une
leçon dont vous vous seriez souvenus! —
Mon amie, si pourtant j'y étois venu pour
elle, ne l'aurois-je pas suivie?

Elle réfléchit un instant, et puis aussitôt
elle m'embrassa; mais tout d'un coup: Non,
non! s'écria-t-elle, je ne suis pas encore
convaincue! C'est donc parce qu'il vous a
fallu nécessairement secourir madame de
Montdésir, que vous me faites attendre
ici depuis près d'une demi-heure? — Non,

9*

mon amie; j'ai été long-temps retenu par cet importun cavalier.... — Qui vous parloit avec tant de feu, et que vous paroissiez entendre avec tant de plaisir? — De plaisir? non. — Que vous disoit-il donc de si beau, ce monsieur? — Il m'entretenoit de ma sœur. — Il la connoît? — Oui, c'est un parent..... — Un parent?... mais, cette fois je vous crois....... parce que je l'ai bien examiné pour m'assurer si ce n'étoit pas encore quelque femme déguisée. Oh! vous ne m'attrapperez plus, j'y prendrai garde, allez! — A propos, mon amie, dis-moi, n'as-tu pas vu ta tante à Longchamps? — Non, je ne voyois que toi; mais vous, monsieur, vous avez pu faire attention à tous ceux qui vous entouroient. — J'ai fait attention à la marquise, parce qu'il m'a semblé qu'elle me regardoit. — Heureusement pour nous, dit la comtesse, elle n'a pas ses yeux de quinze ans. — Éléonore, si pourtant elle m'avoit reconnu? — Oh! que non, s'écria-t-elle...... Faublas, ce seroit un grand malheur... mais... mais il faut espérer que non.

Déjà la comtesse me parloit d'un ton plus doux, et je l'eus bientôt persuadée de toute mon innocence. Alors elle parut avec transport m'entendre lui répéter cent fois les protestations d'un fidèle amour; mais je fus non moins affligé que surpris, quand je vis qu'elle en refusoit les preuves. Non! non! disoit-elle d'un ton absolu...... Tu pleures, mon ami! Pourquoi donc? — Parce que vous ne m'aimez plus comme autrefois! — Davantage, monsieur! — Autrefois jamais un refus... — Oui, lorsque vous n'étiez pas malade!... Tu pleures?... voyez donc qu'il est enfant!

Et ma très-raisonnable maîtresse me fit mettre à ses genoux pour essuyer et baiser mes larmes.

Faublas, il ne faut pas pleurer, tu me fais de la peine... Écoutez donc, mon ami; je me souviens du jour que dans mes bras vous avez perdu connoissance; votre maladie vous a encore bien fatigué depuis. Ta convalescence ne fait que commencer : veux-tu mourir? dame! vois, je mourrois aussi... là, vraiment, ne seroit-ce pas dommage? tous deux si jeunes et nous aimant

si bien! Ah! je t'en prie, Faublas, ne mourons que le plus tard que nous pourrons,
afin de nous adorer le plus long-temps possible. Vous riez, monsieur, est-ce que j'ai
l'air risible, quand je parle raison?.......
Eh bien! voilà que déjà vous recommen-
cez! tout ce que je dis et rien, c'est donc
la même chose?.... Finis, Faublas; finis,
mon ami.... Laissez-moi, monsieur! laissez-moi. Je me fâcherai!... Dame! écoutez donc! mettez-y de votre côté un peu
de courage!.. Faublas, mon cher Faublas!
ajouta-t-elle avec abandon, après m'avoir
donné le baiser le plus tendre, ce n'est
déjà pas pour moi une chose si facile que
de résister à mes désirs : s'il faut en même
temps triompher des tiens, je ne réponds
pas d'en avoir la force.

C'étoit avec raison qu'elle se défioit
d'elle-même, mon adorable Éléonore,
puisqu'après quelques momens d'un voluptueux combat, après quelques momens d'un plus voluptueux silence, elle
me dit avec des soupirs entrecoupés et
d'une voix tremblante : Tu vois bien, mon
ami, tu vois bien ce qui vient d'arriver;

eh bien! en venant ici j'avois juré que cela ne seroit pas; et tout de suite elle jura que du moins cela ne seroit plus. Or, comme je publie sa défaite, il faut avouer ses victoires : malgré mes efforts à chaque instant renouvelés, je ne pus une seconde fois obtenir de ma délicate maîtresse qu'elle oubliât ses chastes résolutions.

Ma charmante amie, les heures fortunées s'écoulent bien vite! il faut déjà nous séparer. — Déjà! — Si j'arrivois trop tard, il me deviendroit impossible de faire à M. de Belcour une fable un peu vraisemblable ; mon esclavage...... — Un moment, s'écria-t-elle, les larmes aux yeux; un moment encore! Faublas, nous nous quittons pour trois jours! — pour trois jours! — Demain, je vais au Gâtinois.... — Au Gâtinois sans moi, pourquoi donc faire? — Hélas! sans toi. C'est ton père...... ton père me fera mourir de chagrin!... Cette fête, qu'elle sera triste! et quand il m'étoit permis de croire que mon amant l'embelliroit de sa présence, je m'en faisois une idée si charmante! — Éléonore, tes pleurs me font un plaisir

trop douloureux. Sèche tes pleurs, attends.... que ma bouche !.... dis-moi, ma
belle amie, dis, quelle est cette fête ? —
Être au milieu de mille gens indifférens,
et ne pas rencontrer ce qu'on aime ! se
voir environnée de monde , quand on vou-
droit gémir dans un désert ! — Dis-moi
donc quelle est cette fête ? — Tous les ans,
au jour de Pâques...... tous les ans, depuis
que j'existe, la Rosière a reçu de mes
mains..... L'année dernière j'ignorois encore ce que je faisois : je le sais maintenant ! maintenant je le sais !..... Du moins
je flattois ma foiblesse de cette espérance
que mon amant seroit là pour me consoler, pour me soutenir, si je venois à songer avec quelque frayeur, que moi, qui
couronne la sagesse, je ne suis pas sage....
Hélas ! je le dirai toujours : ce n'est point
ma faute ! je ne cesserai de le répéter :
pourquoi m'ont-ils donné ce M. de Lignolle ?..... Ce que je dis là te fait de la
peine ? Faublas !...... Va, rassure-toi : je
n'ai pas de remords ! pas même de regrets..... Quelquefois seulement... depuis
que ton père m'a fait de grands discours...

je me surprends réfléchissant sur les dangers sans nombre.... Va, rassure-toi : tant
que tu m'aimeras, ne crains pas que je
t'abandonne! et quand tu ne m'aimeras
plus........ quand tu ne m'aimeras plus, je
trouverai dans mon désespoir ma dernière
ressource. Rassure-toi.... tu pleures !......
Tiens, mon ami : viens, viens m'embrasser ; viens, que nos larmes se confon-
dent !........ Demain je pars, dimanche la
triste fête a lieu ; le lundi, de très-bonne
heure tout le monde revient. Je ramène
avec ma tante, madame de Fonrose qui
nous aime tant : madame de Fonrose et
moi, nous concertons quelque heureux
stratagème qui puisse te rendre à ton Éléonore dans la soirée même du lundi.

Quoiqu'il fût déjà tard, quoique la
marquise m'attendît, quoique mon père
dût s'impatienter de ma longue absence,
je répétai cent fois mes adieux à madame
de Lignolle, avant de la pouvoir quitter.

Enfin pourtant nous trouvâmes assez de
force pour nous séparer, et je courus
chez Justine joindre madame de B***.

La marquise avoit les yeux rouges, la

respiration difficile, la figure très-alté-
rée : elle me vit pourtant avec quelque
plaisir, m'emparer de sa main, qui fut
aussitôt vingt fois baisée. Étoit-il tout-à-
fait impossible, me dit-elle avec infiniment de douceur, que vous me fissiez un
peu moins attendre ? Puis, sans me donner le temps de lui répondre, affectant
de la joie et me regardant avec complaisance : Le voilà tout-à-fait bien, poursuivit-elle. Croiroit-on que ce jeune homme
étoit, il y a douze jours, si dangereusement malade ? Le croiroient-elles, ces
femmes qui tout-à-l'heure à Longchamps
s'émerveilloient de lui voir ce teint de lis
et de rose, ne se lassoient point d'admirer son éclat, sa beauté, sa fraîcheur,
sa..... Madame de B*** parut se faire violence pour n'en pas dire d'avantage. Son
regard, qui s'étoit animé, redevint triste,
incertain, pensif. D'une voix foible et
traînante, elle reprit : Je ne me serois
point avisée d'aller là, si j'avois pensé
que vous y dussiez venir ; mais le moyen
de deviner ! le moyen d'imaginer que vous
étiez en état de paroître en public, quand,

depuis huit jours, la petite de Montdésir attendoit vainement l'annonce de votre visite particulière.....—Ah! ne m'accusez point! je n'ai pu me rendre à votre invitation. Mon père m'a suivi partout; aujourd'hui même il étoit à Longchamps avec moi... Ne m'y avez-vous pas vue, à Longchamps, me demanda-t-elle avec une espèce d'inquiétude? — Oui, je ne vous ai point saluée, de peur... Elle m'interrompit avec un cri de joie: J'osois m'en flatter, qu'il m'avoit bien reconnue, et que c'étoit seulement par discrétion..... Recevez mes remerciemens: je vous reconnois à ce trait-là; à ce procédé généreusement délicat, je reconnois... l'ami de mon choix.—Ma chère maman, pourquoi donc n'avez-vous fait que paroître à cette promenade magnifique dont vous étiez le principal ornement?—Le principal?.... non... non, je ne le crois pas....... Au reste, je ne suis partie qu'à l'instant où j'ai vu la foule se porter autour de vous.—C'est-à-dire que vous avez pu voir aussi l'accident de Justine? Un sourire vint effleurer les lèvres de la mar-

quise. Oui, je l'ai pu voir aussi, son accident, dit-elle. Et d'un ton très-sérieux
elle ajouta : Mais cet accident l'a-t-il assez
punie? Je suis bien aise que vous me disiez devant elle ce que vous en pensez ;
c'est pour cela que, si vous ne vous en-
nuyez pas trop ici, nous l'attendrons.

Nous ne l'attendîmes pas long-temps,
car à l'instant même on lui ouvrit son
antichambre. Un galant cavalier lui parloit très-haut : Ces jeunes gens m'ont ac-
cueilli, fêté, caressé! Moi, je ne sais pas
résister à des manières obligeantes, aux
prévenances des gens qui m'aiment! Cependant l'autre gagnoit sur moi beaucoup d'avance. Quand j'ai vu cela, je
suis revenu à Longchamps, tout exprès
pour toi, mon enfant : ta physionomie
m'avoit frappé.—Est-ce que je me trompe?
me dit madame de B★★★. Est-ce que ce
n'est point?... — Vous ne vous trom-
pez pas! A sa voix comme à ses discours,
je crois aussi le reconnoître.—Oh! c'est
lui! c'est lui! sauvons-nous! il n'y avoit
pas un moment à perdre ; nous courûmes à
la porte qui communiquoit chez le bijou-

tier. Bon dieu! s'écria la marquise, qu'ai-je fait de la clef? Une armoire très-haute, mais très-étroite, et fort heureusement assez profonde, pratiquée dans une encoignure, à côté de la cheminée, nous offrit un dernier asile. Madame de B+★★ s'y jeta la première. Vite Faublas! Je n'eus que le temps de me précipiter après elle et de fermer la porte sur nous.

Ils entrèrent dans l'appartement que nous venions de leur abandonner. Oui, continua-t-il, ta physionomie m'avoit frappé. Je mourois d'envie de te parler. — Vous m'avez donc bien reconnue? — Tout de suite! mais peux-tu me faire une question pareille, à moi qui sais toutes les figures par cœur? — Ah! c'est que ce superbe attelage, cette brillante voiture, la grande parure où j'étois, tout cela pouvoit bien me rendre méconnoissable. — Aux yeux de tout autre, oui: mais aux miens! tu as donc oublié comme je suis physionomiste?........ A propos de ton équipage, quel est, je t'en prie, le magnifique mortel qui se ruine pour toi? le chevalier de Faublas, peut-être?

— Eh bien, oui! un plaisant freluquet!
Entendez-vous l'impertinente? — Taisez-vous, me répondit la marquise. Pourtant, reprit M. de B★★★, il me semble
que tantôt tu le lorgnois à Longchamps?
— Lui! ce morveux! c'étoit vous que je
regardois. — Je te plais donc? — A qui
ne plaisez-vous pas? — Il est vrai que j'ai
la physionomie du monde la plus heureuse, je ne rencontre que des gens qui
m'aiment! encore aujourd'hui, tu as pu
voir à Longchamps la joie que ma présence leur donnoit à tous! Oui, tout le
monde paroissoit content. — Personne ne
l'étoit plus que moi, je vous assure. —
Cependant, ma pauvre petite, il venoit
de t'arriver une aventure assez désagréa-
ble. Quelle est cette femme qui t'a si mal-
traitée? — Une petite catin.

Mais voyez donc cette..... Taisez-vous,
me dit encore madame de B★★★. Son mari
continua : Elle avoit un domestique à livrée. — Bon! une livrée d'emprunt.—Ton
joli phaéton est bien endommagé. — J'en
suis d'autant plus fâchée, que c'est le présent d'une dame de mes amies...

A cet endroit de l'intéressant dialogue, la marquise ne put s'empêcher de se récrier tout bas : Une dame de ses amies! l'insolente! — Ma belle maman, est-ce que c'est vous?...... — Oui. — Eh bien! permettez qu'à mon tour je vous dise : Paix donc!

Cependant, pour avoir causé, nous perdîmes quelques-unes des paroles de Justine...., Venir tout exprès d'Angleterre! poursuivit-elle. — Une dame de tes amies! s'écria le marquis, diantre, il faut que tu aies de grandes complaisances pour cette dame-là? — Je vous en réponds. — Mais, mon ange, entendons-nous. Je ne me soucierois pas d'une maîtresse qui aimeroit les femmes. — Quoi! vous imaginez!...... Ce n'est pas cela, ce n'est pas cela! Tenez, je vais vous dire : c'est une dame... comme il faut.... du haut parage... Elle est gênée chez elle.... — J'entends, j'entends, c'est encore un benêt de mari qu'on attrape!... — Ou qu'on attrapera, monsieur le marquis. — Mon dieu! que ces maris sont bons!..... De sorte que tu lui prêtes cette chambre à coucher pour......—Non, oh non; il ne se passe entre eux rien de mal-

10*

honnête, j'en suis sûre. — L'intrigue ne faitdonc que commencer ?—Au contraire, elle est ancienne.... C'est une histoire que cela, monsieur le marquis ! — Conte, conte; le récit des tours que ces imbéciles maris se laissent faire, m'amuse toujours infiniment : conte. — La dame a eu le jeune homme autrefois; mais il l'a quittée pour une autre : elle ne se soucie point de le partager, et veut le ravoir.

Ici la marquise murmura : L'effrontée menteuse ! — O ma belle maman, taisez-vous donc ! et je risquai de lui donner à petit bruit un baiser qu'elle ne put s'em-pêcher de recevoir.Cependant nous avions encore perdu quelques mots.

Justement, disoit madame de Montdésir, elle ne lui permet rien encore; mais le moment approche où elle lui permettra tout. — Tu es donc entièrement dans la confidence ? — Non : c'est une femme trop méfiante et trop adroite ! elle ne me dit presque rien; mais je vois bien par sa conduite...... De quoi riez-vous ? —De la mine que ces amoureux-là doivent faire, quand ils sont ensemble. Moi, qui suis physionomiste, je donnerois........... cent louis! pour étudier alors le jeu de leurs figures........ Parbleu, tu devrois quelque jour me procurer ce plaisir-là. — A vous ? — A moi. — Impossible! monsieur le marquis. — Pourquoi ? je me cacherois quelque part. — Impossible! vous dis-je. — Tiens : quand je devrois me tapir sous ton lit. — Sous mon lit ? vous ne pourriez apercevoir que leurs jambes. — tu as raison. Eh bien! dans une armoire. Tu as des armoires ici? — Vous le voyez que j'en ai.

La conversation prenoit un tour vraiment effrayant; il s'en falloit bien que je fusse à mon aise, et je sentois la marquise trembler.

Attends! s'écria le marquis......

. Il alla très-heureusement à celle qui étoit de l'autre côté de la cheminée ; et quand il en eut ouvert la porte : Voilà précisément ce qu'il me faut, dit-il; un homme un peu puissant n'y tiendroit point; moi, je n'y serai pas trop mal. Et, vois-tu, par le petit trou de la serrure je contemplerois les acteurs tout à mon aise. Allons,

Justine, laisse-toi fléchir, je paierai bien
ta complaisance, et je garderai le secret.
— D'honneur, si la chose n'étoit pas entièrement impraticable, je le voudrois
pour la rareté du fait. — La dame est-elle
jolie ? — Bon ! comme ça, pas trop mal ;
mais elle se croit.... superbe ! — C'est l'u-
sage. Et le galant ? — Oh ! charmant, lui !
charmant ! — Mieux que le chevalier de
Faublas ? — Mieux ? non, mais tout aussi
bien, en vérité ! — Sais-tu que je suis jaloux du chevalier ? — Comment, jaloux ?
vous croyez encore que madame la marquise ? — Non, non. Mais toi, mon enfant.... — Moi ! ah ! vous avez tort. — Autrefois, cependant.... —Autrefois, je n'a-
vois pas des goûts solides. Pourtant je me
suis toujours senti de l'inclination pour
vous, monsieur le marquis. — Ah ! je le
crois bien. Je te dis, ma figure... elle produit cet effet-là sur toutes les femmes. —
Oui, la vôtre, par exemple, vous adore.—
M'adore ! tu as dit le mot..... Sais-tu bien
une chose ? c'est qu'à la longue rien ne devient plus fatigant que ces adorations-là !
madame de B*** peut passer pour belle,

« à la bonne heure ; mais toujours la même
« femme ! toujours ! D'ailleurs, avec toute
« sa tendresse, la marquise est froide sur
« l'article ! et moi je ne connois que cela de
« bon en amour. Ma foi ! je suis jeune : j'ai
« besoin d'amusement, de distractions.......
« mon enfant, je soupe avec toi. — Vous
« soupez ? — Oui, je soupe. Toujours je
« soupe, tu dois t'en souvenir... et je couche,
« ma reine ...—Ici, monsieur le marquis ?
— Pas ailleurs, je t'assure.

Nous entendîmes une bourse tomber
sur la cheminée. Tout-à-l'heure nous pas-
serons dans la salle à manger, dit Justine.
— Pourquoi donc, la salle à manger ?
restons ici, nous sommes si bien ! fais ap-
porter une volaille. Va, mon ange, avant
et même pendant le souper, nous pourrons
avoir mille choses intéressantes à nous
communiquer.

Madame de Mondésir sonna son jockey :
Vite, qu'on apporte deux couverts, et
qu'on ne laisse entrer personne.

Et nous, ma belle maman, nous allons
donc, de notre côté, souper et coucher
dans cette armoire ? Ah ! mon ami, me

répondit-elle, mon ami ! je suis encore
tremblante de la peur qu'il m'a faite !

Maintenant que j'y réfléchis, je me demande pourquoi je craignois de passer
toute la nuit dans cette armoire où je devois me trouver si bien. Je vous ai dit qu'en
largeur elle ne nous eût pas contenus ; et
puis qu'il falloit que nous nous tinssions,
la marquise et moi, l'un sur l'autre serrés
dans sa profondeur, n'eût-il pas été trop
extraordinaire que je tournasse impoli-
ment le dos à madame de B*** ? Je m'étois
donc placé dans le sens contraire. Aussi,
dans cette posture infiniment douce, mes
lèvres sans cesse effleuroient les siennes,
ma poitrine reposoit sur son sein, je pouvois compter les battemens de son cœur :
nous nous touchions de la tête aux pieds !
Quel homme, fût-il né dans les antres froids
de la Sibérie, des embrassemens d'un cou-
ple glacé ; l'eût-on, sous un froc chaste-
ment absurde, élevé dans la haine de l'a-
mour et dans la terreur des femmes ; l'eût-
on constamment nourri de végétaux sans
chaleur et sans sucs, constamment abreu-
vé des plus rafraichissantes émulsions ;

quel homme, aux attraits tout-puissans d'une tentation pressante autant que celle qui m'agitoit, n'eût pas senti son cœur s'émouvoir, et tous ses esprits fermenter, et tout son sang bouillir ! Le mien brûloit mes veines ! et vous-même, ô madame de B***, vous-même... Ah ! quelle vertu n'eût pas succombé !

Mes premières caresses pourtant lui causèrent une surprise mêlée d'effroi : Faublas, est-il possible ! y songez-vous ?.... monsieur ! monsieur !

Le marquis, plus promptement heureux que moi dans ses amours, me força par le succès rapide de ses entreprises, à suspendre la vivacité des miennes. Il se faisoit alors dans l'appartement un silence qui nous eût trahis, si j'avois osé me permettre le moindre mouvement. Ma belle maman, il me semble que votre mari vous fait une infidélité ? Que m'importe ? dit-elle. Ah ! pourvu que mon ami conserve pour moi quelque respect, pourvu qu'il n'abuse pas de ma situation vraiment chagrinante, que m'importe le reste ?

Leurs exercices et nos confidences furent

à-la-fois interrompus par le retour du petit
domestique : il apportoit la table, nous entendîmes qu'elle fut placée assez près de
notre armoire. Dès que le souper fut servi,
madame de Montdésir renvoya son jockey.
Nous voilà libres, dit-elle à M. de B***,
causons. Je suis, monsieur le marquis,
charmée de vous appartenir. C'est une
bonne fortune que je désirois trop, pour
qu'elle ne m'arrivât pas; mais pourquoi
m'est-elle arrivée si tard ? par quel hasard
n'avez-vous fait aucune attention à moi,
pendant que je demeurois chez vous ?—
Ah ! dans la maison de ma femme !—
Bon !... Tenez, soyez vrai : tous les hommes sont comme cela ; vous m'aimez maintenant parce que je suis quelque chose.—
Tu badines ! est-ce que je ne le voyois pas
bien dans ta physionomie, que tu serois
quelque chose ?... car elle est heureuse,
ta physionomie... un peu gâtée, ce soir! ce
coup de fouet t'a marquée; mais pour un
connoisseur, c'est une bagatelle : le fond
des traits reste toujours... Justine, je t'assure que de tout temps j'ai vu sur ta mine
que tu ferois fortune ; chez moi, je me

suis dit cent fois en te regardant : Je remarque dans l'air de cette fille-là je ne
sais quoi qui finira par me plaire quelque
jour.—Cependant, quand il y a six mois
vous m'avez chassée?...—J'étois en colère;
on me vouloit faire croire que ma femme...
—A propos, je suis bien curieuse de savoir
de quelle manière vous avez découvert son
innocence; car elle est innocente.—N'est-
il pas vrai qu'elle l'est?—Moi! j'en suis
sûre, et je vous l'ai toujours soutenu,
souvenez-vous-en?—Oui. — Mais je voudrois savoir de vous-même comment vous
en avez acquis les preuves?—Vraiment! il
a bien fallu que madame de B*** me don-
nât les éclaircissemens nécessaires. Tiens,
écoute :

Ce que le marquis alloit dire devoit
à tous égards exciter ma vive curiosité : je
redoublai d'attention.

Écoute : d'abord M. Duportail n'a pas
d'enfant, c'est la vérité. Son nom? mademoiselle de Faublas, qui est une petite
personne fort éveillée, l'avoit pris pour
aller au bal avec cet habit d'amazone.
C'est bien avec mademoiselle de Faublas

7.   11

que la marquise a fait connoissance. C'est
bien mademoiselle de Faublas qui a couché
dans le lit de ma femme. Toi, d'abord,
comme tu me l'as cent fois répété dans le
temps, tu en sais quelque chose...

— Certainement ! je l'ai déshabillée !—
Bon ! d'ailleurs il étoit horrible à moi de
supposer que la marquise eût pu tout d'un
coup se jeter à la tête d'un jeune homme
qu'elle ne connoissoit pas. Mais, tiens !
que je t'apprenne une circonstance que je
me suis rappelée depuis, et dont je me
garderai bien d'instruire madame de B★★★.
Ma figure avoit produit sur la jeune personne son effet ordinaire; la vive demoiselle m'avoit à-peu-près permis de venir
pendant la nuit lui faire une visite. A tâtons je suis entré dans l'appartement de
ma femme; à tâtons j'ai promené libre-
ment ma main sur la gorge de la jeune
fille.... Et que diable ! un garçon n'a pas
la poitrine faite comme ça !... Tu ris ? —
Oui, je ris, parce que... parce que je
pense que madame.... dans ce moment-
là pouvoit sentir votre main..... car elle
étoit couchée là tout auprès, madame ? —

Oh ! madame étoit endormie : malheureusement le bruit l'a trop tôt réveillée......
— Ah ! ah !..... de sorte que tout au contraire, c'est à côté de l'enfant qui dormoit peut-être encore.... — Qui dormoit, oui. — C'est à côté d'elle que vous avez... embrassé votre femme?—Justement, ma reine. Il n'étoit pas à présumer que je fusse venu-là pour rien : c'eût été d'ailleurs faire une espèce d'insulte à la marquise, que de m'en aller sans avoir rempli le devoir conjugal ! — Je suis pourtant bien étonnée que madame vous ait permis cela dans un moment pareil. Vous conviendrez que la décence... — La marquise, cette nuit-là, ne demandoit pas mieux, parce que....

Ma belle amie, je suis témoin qu'il ment.—Faublas ! Faublas! plaignez-moi !

... La jalouse marquise, disoit M. de B***, quand je lui rendis mon attention. —Il est vrai qu'elle est jalouse, cela fait trembler !... Monsieur le marquis, voilà déjà deux bonnes preuves que c'étoit mademoiselle de Faublas! Mais n'en auriez-vous pas encore quelqu'autre ? — Assurément : celle-là, je ne m'en souvenois plus, c'est madame de B★★★ qui me l'a rappelée : le lendemain, nous reconduisîmes la prétendue mademoiselle Duportail ; elle fut obligée de nous mener chez son père supposé ; mais nous y trouvâmes son véritable père qui la traita comme on traite une demoiselle...une demoiselle dont la conduite n'est pas tout-à-fait bonne. Or, je le connois maintenant, ce baron de Faublas ; j'ai eu deux fois l'occasion d'examiner son caractère et sa physionomie : c'est un homme vif, emporté, quelquefois brutal, un homme incapable de ménagement ! Si c'eût été le jeune homme que nous eussions ramené déguisé de la sorte, il se fût écrié comme chez ce commissaire : C'est mon fils ! —Ainsi donc ce fut mademoiselle Duportail qui vint le soir en habit d'amazonne, et le lendemain... — Le lendemain ? non ; ce fut son frère. — Son frère... je le sais bien. Mais, vous a-t-on dit pourquoi ? — Parce que M. de Rosambert le pressa de faire cette mauvaise plaisanterie. M. de Rosambert avoit ses motifs : il étoit amoureux de ma femme, et

furieux de n'essuyer que des mépris, il voulut se venger. Il envoya donc chez la marquise le chevalier revêtu des habits de sa
sœur, et profitant de la circonstance, il vint
le soir faire une scène à ma femme, une
scène affreuse, qui la pouvoit étrangement
compromettre, une scène..... Je ne me
souviens pas des détails; car moi, je n'ai
de la mémoire que pour les physionomies.
Mais la marquise m'a beaucoup aidé, et je
me rappelois en général que la scène étoit
horrible.... Ce procédé de Rosambert me
paroît infâme; aussi je ne verrai M. le
comte de ma vie, ou si je le vois... tiens,
Justine, sur un mot, je me sens disposé à
me couper la gorge avec lui. — Ne vous
en avisez pas! vous feriez mourir votre
amante d'inquiétude! — Mon amante,
c'est ?...— C'est moi. — Bien! ma petite;
fort bien, ce que tu dis-là. —Monsieur le
marquis, apprenez-moi donc aussi........
Pardon si je vous fais tant de questions.
Vous devez sentir que je suis enchantée de
vous voir entièrement revenu sur le compte
de madame, et surtout sur le mien; car,
vous imaginiez que je vous faisois une

11*

foule de mensonges!.... Mademoiselle de
Faublas, que devint-elle?—Mademoiselle
de Faublas? elle commença par se lier in-
timement avec M. de Rosambert, et puis
avec d'autres. Elle donna des rendez-vous
à celui-ci, des rendez-vous à celui-là, j'en
suis sûr! J'ai trouvé une lettre qu'elle
avoit laissée dans un endroit fort suspect;
et elle-même, la jeune personne! je l'ai
rencontrée en partie fine aux environs du
bois de Boulogne. Il est arrivé de tout cela,
ce qui arrive : un enfant. — Un enfant?
— Un enfant, j'en suis sûr encore. Je l'ai
vue....grosse...je l'ai vue grosse. La taille
déjà rondelette, et la physionomie d'une
femme. Que diable! je m'y connois! Elle
se cachoit alors, sous le nom de madame
Ducange, dans un hôtel du faubourg Saint-
Honoré. Malgré ces précautions, le père
n'a pas pu ignorer plus long-temps les dé-
rangemens de sa fille; il a assemblé les
parens. Les parens, pour sauver du moins
l'honneur de la famille, ont décidé qu'il
falloit que le frère, de temps en temps,
parûî en public avec des habits de femme,
et qu'ils en prendroient occasion de ré-

pandre partout que c'étoit le chevalier de
Faublas, et non pas sa sœur, qui avoit couru
les bals sous divers travestissemens. M. Duportail a bien voulu se prêter à cet arran-
gement. De cette manière, on a dépaysé
les médisans, excepté Rosambert et deux
ou trois jeunes gens de par le monde, à qui
l'on ne persuadera jamais que la demoiselle
étoit garçon. Mais ce qu'il y a de vraiment
affreux dans cette affaire, ajouta-t-il d'un
ton mystérieux, c'est qu'ils ont fait, je
crois, avorter la jeune personne, ou bien
ce seroit donc quelque accident qui l'auroit fait accoucher avant le terme. Au
moins je sais qu'ils se sont hâtés de la faire
voir dans toutes les promenades. Le jour
que je la rencontrai aux Tuileries, elle
étoit maigre, pâle, fatiguée!...... Regarde
pourtant combien d'accidens se sont réunis
pour mettre ce jour-là mes connoissances
physionomiques en défaut! Je trouve la
demoiselle fort changée ; je lui fais tout
bas mon compliment de condoléance. Le
père, qui est derrière moi, m'entend ; désespéré de ce que je suis dans le secret, il
entre en fureur. Le jeune homme arrive ;

et comme je vois pour la première fois le
frère à côté de la sœur, je suis frappé de
leur extrême ressemblance. Cependant le
chevalier appelle le baron son père. Le
père crie que M. Duportail n'a pas d'enfans. M. Duportail me fait le mensonge
auquel il s'est engagé, il m'affirme que
c'est le chevalier qui a toujours mis le mau-
dit habit d'amazone. Moi, tout étourdi de
tant de quiproquos, très-chatouilleux sur
l'honneur, je perds la tête, je m'emporte,
j'en crois leurs discours plus que mes yeux,
j'accuse ma femme.... et, qui plus est, la
science physionomique, de m'avoir à la
fois trompé! Je vais comme un enragé
défier le chevalier...... qui n'a pas eu la
marquise, puisqu'il la connoît à peine......
qui ne l'a point eue, qui ne l'aura jamais !
ni lui, ni d'autres !..... Cependant le jeune
homme, intéressé à soutenir la querelle,
qui devient celle de toute la famille, ne
s'explique point. Il accepte fièrement, et
le lendemain.....

Le marquis ne cessa pas de parler; mais
ayant appris de lui ce que j'étois si curieux
de savoir, je cessai de l'écouter. Un inté-

et plus pressant me commandoit une oc-
cupation plus douce : madame de B★★★,
dans une posture assez peu favorable à
l'attaque, mais du moins incommode pour
la défense, retenue d'ailleurs par la crainte
d'être entendue, n'osoit risquer de grands
mouvemens, et ne pouvoit opposer à mes
efforts rapidement multipliés, qu'une bien
courte résistance. Aussi, lorsqu'après quelques minutes son mari, transporté d'aise,
répéta : *le chevalier ne l'a jamais eue et
il ne l'aura jamais! ni lui, ni d'autres!*
quand il le répéta, peu s'en falloit que je
ne l'eusse. La marquise elle-même parut
s'avouer ma prochaine victoire, puisque
elle prit le ton doucement suppliant d'une
femme qui ne veut que retarder sa défaite :
Un moment, dit-elle! mon ami, je ne
vous demande qu'un moment!....... Faublas, je vous avois jugé capable de plus de
générosité! — Ma belle maman, c'est de
l'héroïsme qu'il faudroit! —........ Cruel!
me refuserez-vous un moment?..... Faublas! mon ami! que je sache du moins si
le danger n'est point extrême....... vou-
driez-vous m'exposer?....... Que je sache

s'ils ne peuvent pas au moindre bruit venir à nous..... Où sont-ils ? —Ils soupent. — Assurez-vous-en. — Le moyen ? — Regardez. — Par où ?—Mais ! par le trou de la serrure. — Cela n'est pas facile ! je ne puis me baisser. — Tâchez. — Ils sont à table. — Comment placés ? — Justine en face. — De cette armoire ? — Oui. — Et le marquis ? — Vous tourne le dos.

A peine ai-je dit, que, prompte comme l'éclair, la marquise, en se dégageant de mes bras, pousse notre porte avec violence, se précipite hors de l'armoire, s'élance vers la table, la renverse et.... Je ne vois plus rien, la porte a été rejetée sur moi, les bougies viennent de s'éteindre : mais tout stupéfait que je suis, comme il me reste encore des oreilles, je puis entendre le bruit de cinq ou six soufflets très-lestement donnés. Je puis entendre madame de B*** d'un ton ferme parler ainsi : Il vous sied bien, petite créature que j'ai tirée de la lie du peuple et de la misère, qui, sans moi, garderiez encore les troupeaux de votre village, et que je puis d'un mot renvoyer sur votre fumier ; il vous

sied bien d'oublier le profond respect que
vous devez à votre bienfaitrice , et de faire
de sa conduite privée l'objet de vos secrets
entretiens , de votre impertinente curiosité , de vos insolentes remarques. Je vous
trouve surtout bien osée d'entraîner mon
mari dans de libertines orgies... Et vous ,
monsieur , voilà donc le prix dont vous
payez mon attachement sans bornes ! je
me doutois bien que quelque projet de
conquête vous conduisoit à Longchamps !
je vous ai fait suivre , on vous a vu........
Je vous ai vu moi-même aller sans pudeur
grossir le honteux cortége d'une courti-
sane, et dans la foule de ses amans bri-
guer l'honneur du mouchoir ! on vous a vu
long-temps entretenir un jeune homme ,
à qui par ménagement pour moi , vous
ne deviez jamais parler en plublic ni même
en particulier ! on vous a vu revenir consoler cette nymphe du trop petit malheur
que son impudence venoit de lui attirer ,
puis enfin vous disposer à la ramener en
triomphe chez elle !....... Mademoiselle ,
quiconque fait métier de se vendre au premier venu , doit s'attendre à n'avoir que

des valets que le premier venu peut cor
rompre ; j'ai fait généreusement payer l
vôtres ; ils n'ont pas refusé d'indiqu
votre demeure, et c'est l'un d'eux qui m
cachée dans cette chambre où je trem
blois..... monsieur, de vous voir arrive
bientôt avec votre amante. Mais qu
qu'il dût m'en coûter, j'avois cette fois
bien résolu d'acquérir enfin la preuve cer
taine de vos infidélités journalières : je
m'étois même promis de ne sortir de ma
prison que pour surprendre au lit mon in
digne rivale et mon perfide époux. Je n'ai
pas eu la patience d'attendre si long-temps
vous m'en avez d'ailleurs épargné la peine
je ne dois pas m'en étonner. Cette joli
personne est si digne de tous vos empres
semens !........ Cependant rassurez-vous
je ne m'emporterai plus ni contre vous,
ni contre elle : déjà même je me repen
des violences dont un premier mouvemen
m'a tout-à-l'heure rendue coupable env
ver cette fille. A l'avenir je saurai con
server en de pareilles rencontres plu
de tranquillité ; ou plutôt cette scène, je
vous le promets, sera la dernière que

permettra *la jalouse marquise* ; et , pour
continuer à me servir de vos expressions
tout-à-fait obligeantes, *mes adorations
ne vous fatigueront plus.* Au reste, puisqu'à présent je n'ignore pas que c'étoit le
seul désir de ne point m'insulter, qui vous
déterminoit à m'honorer quelquefois de
ce qu'il vous plaît nommer *le devoir conjugal,* je ne suis plus obligée de vous répéter complaisemment ce que je vous ai dit
mille fois avec trop de modération, que
c'étoit la chose du monde qui m'étoit la
plus indifférente. Il est bon de vous déclarer que je me suis vraiment immolée,
chaque fois qu'il m'a fallu le remplir, ce
devoir; il est bon de vous déclarer qu'à
compter de ce moment-ci je m'en crois
entièrement dispensée. Peu m'importe
qu'un tyrannique usage interdise au sexe
le plus foible cette malheureuse et dernière ressource contre les crimes du plus
fort. Je ne reconnois de lois que celles qui
sont justes, et de lois justes, que celles
qui comportent l'égalité. Il est trop affreux que les perfidies nombreuses de l'é-
poux soient applaudies, lorsqu'une seule

7. 12

foiblesse de l'épouse la déshonore! Il est trop affreux que moi, qu'on eût condamnée à périr de douleur au fond de quelque retraite ignominieuse, parce que j'aurois idolâtré l'amant le plus digne de mon choix, on m'oblige à recevoir dans mes bras mon indigne mari sortant des bras d'une prostituée! je jure qu'il n'en sera rien ! Monsieur le marquis, souvenez-vous du jour que de vaines rumeurs et vos odieux soupçons m'accusoient. Si je ne m'étois justifiée mal ou bien; mal ou bien, répéta-t-elle avec beaucoup de force, si je ne m'étois justifiée, si je n'étois parvenue à vous convaincre de mon innocence, vous alliez user de vos droits, des droits du plus fort. Déjà vous m'annonciez que nos nœuds étoient rompus, qu'une éternelle prison m'alloit renfermer. Eh bien! monsieur, alors comme aujourd'hui, vous prononciez contre vous-même, non pas l'arrêt de votre captivité, il n'y a pas de couvens pour les hommes en pareils cas, mais l'arrêt de notre séparation. Vous venez de le signer ici, tout-à-l'heure, sur le sopha de Justine. Madame de B*** vous le proteste, et madame de B***, vous devez le savoir, n'est pas femme à varier dans ses résolutions. Je vivrai célibataire; mais je vivrai libre; je ne serai plus le bien, l'esclave, le meuble de personne ; je n'appartiendrai qu'à moi. Vous, cependant, monsieur le marquis, encore un peu plus heureux qu'auparavant, vous aurez, sans aucune contrainte, cent maitresses, si bon vous semble : toutes les femmes à qui vous plairez! toutes les filles qui vous plairont !.......... excepté celle-ci pourtant. Je ne veux pas que celle-ci profite de vos largesses, et c'est là mon unique vengeance. Je l'avertis que s'il lui arrive seulement une fois de vous recevoir chez elle, je la fais impitoyablement enlever....... Mademoiselle, je vous cause un tort que vous croyez irréparable, n'est-ce pas? Mais consolez-vous, ajouta-t-elle d'un ton qui dut faire sentir à Justine le véritable sens de cet équivoque discours : soyez toujours charmante...... adroite .... fidèle.... d'autres personnes plus riches ou plus généreuses vous dédommageront......

quant à la fortune..... de la perte de M.
le marquis. D'autres, croyez-moi, vous
récompenseront amplement de cet indispensable sacrifice...... Monsieur, je me
flatte que vous voulez bien me donner la
main pour descendre et rentrer à l'hôtel
avec moi.

Oui, je vous comprends, madame la
marquise, s'écria Justine, qui, revenant
de conduire jusque dans son antichambre,
le marquis et sa femme, se croyoit seule;
je vous comprends, vous me dédomma-
gerez de ce sacrifice, à la bonne heure.
Mes affaires n'en iront que mieux, parce
que je pourrai conserver M. de Valbrun.

Pendant que madame de Montdésir se parloit, je restois toujours dans cette armoire,
j'y restois confondu de tout ce qui venoit
de se passer, de tout ce que je venois d'entendre. Justine cependant se mit à rire de
toutes ses forces : Ils sont loin, s'écria-t-
elle, ne nous gênons plus... J'étouffois....
Ah! la bonne scène !.... Quand verrai-je
le chevalier, pour lui raconter.... Ah! la
bonne scène !.... Comment diable aurois-

je deviné que cette femme étoit ici... dans
cette armoire !...

Elle l'ouvrit, et m'y trouva.

Tiens ! et l'autre aussi !.... Mon dieu !
mon dieu !... j'en suffoquerai !... Elle me
paroissoit bonne , cette scène ! la voilà
bien meilleure !... Quoi! monsieur le chevalier , vous en étiez !.... quoi ! nous faisions la partie carrée ! Le marquis ne
m'aimoit que par représailles ! En effet ,
depuis une heure que vous êtes dans cette
armoire, côte à côte, face à face !... Monsieur le chevalier, vous l'avez eue ? vous
n'avez pas laissé échapper une si belle occasion de reprendre vos droits — Justine ,
ne m'en parle pas : tu me vois encore
étonné de sa présence d'esprit, de son
heureuse hardiesse ! c'est par une ruse dia-
bolique, une ruse de femme, qu'elle m'a
arraché la victoire, la victoire que je
croyois sûre ! —J'en suis vraiment fâchée,
c'eût été plus drôle. Pourtant ça ne l'est
pas mal ! moi, qui faisois causer ce mari ,
comme si sa femme eût été à mille lieues
de nous ! comme si j'avois deviné que vous,
monsieur de Faublas, vous en étiez tout

12*

près ! Savez-vous que je lui ai fait dire
d'excellentes choses ! et ce n'est pas non
plus trop mauvais, ce que je lui ai fait
faire.... là.... presque sous les yeux de sa
femme... une vengeance du ciel ! car c'est
aussi sous les yeux de son mari que la
vertueuse dame vous a jadis.... *idolâtré*,
comme tout-à-l'heure elle le donnoit si
plaisamment à comprendre au marquis !
Ah ! c'est une maîtresse femme ! elle lui a
fait là de furieuses déclarations ! il a entendu des vérités dures ! Le pauvre homme !
elle ne lui a pas laissé le temps de se reconnoître. Je voudrois que vous eussiez
vu comme moi la figure qu'il faisoit : les
sourcils en l'air, la bouche béante, les
yeux hébétés. Je gagerois qu'il arrivera
chez lui avant d'avoir retrouvé la force de
répondre un mot... Ce qui me fait dans tout
ceci un sensible plaisir, ajouta madame
de Montdésir, en pesant dans chacune de
ses mains une bourse pleine d'or, c'est
que je vais m'enrichir, si cela continue.
Le mari me paie pour me caresser, et la
femme pour me battre. — Comment ? —
Oui ! celle-là, je l'ai gagnée sur mon so-

pha ; celle-ci, c'est madame la marquise, qui, tout-à-l'heure, avant que les bougies fussent rallumées, me l'a donnée très-adroitement d'une main, tandis que, de l'autre, elle m'appliquoit sur la joue ces petits soufflets qui m'ont fait plus de peur que de mal. Monsieur le chevalier, si du moins votre comtesse payoit ainsi les coups qu'elle donne ! — Justine, ne me parlez jamais de la comtesse ; tâchez plutôt, si vous voulez que nous soyons amis......— Je ferai pour cela tout ce qui dépendra de moi, interrompit-elle, en se jetant à mon cou. Tenez ! en voulez-vous des preuves ? restez ici. Aussi-bien je ne devois pas coucher seule cette nuit ; et je croirai, sans compliment, avoir gagné beaucoup au change. — Justine, je pense qu'ils sont maintenant assez loin pour que je puisse descendre sans danger. Bonsoir. — Quoi ! vraiment ! qu'est devenu l'amour que vous aviez pour moi ? — Il y a plusieurs jours qu'il est parti, cet amour-là, ma petite ! — Ah ! tâchez donc que ça revienne quelque matin, dit-elle négligemment, en se regardant au miroir ; et si cela revient, re-

venez avec, vous serez toujours bien reçu...
Mais, avant de partir, mangez du moins
un morceau. — Un morceau ? il est vrai
que je meurs de faim.... Mais non, il est
déjà trop tard : mon père doit être dans
l'inquiétude. Adieu, madame de Montdésir.

Dès que je parus à la porte de l'hôtel, le
Suisse cria : Le voilà !—Le voilà ! cria Jasmin sur l'escalier. N'est-il pas blessé, demanda le baron, qui accourut vers moi ?
— Non, mon père. Vous m'avez donc vu
dans la foule avec le marquis de B*** ?
—Eh oui, je vous ai vu ! j'ai fait de vains
efforts pour m'ouvrir un passage jusqu'à
vous. Depuis trois grandes heures que je
suis revenu, je meurs d'inquiétude. Que
vous est-il donc arrivé ? comment votre
ennemi vous a-t-il si long-temps retenu ?
— Le voici : Quand nous avons pu nous
dérober aux brouhahas de la multitude,
nous étions tous deux fort échauffés.... —
Vous l'avez tué ? —Non, mon père ; mais
il m'a forcé... — Encore une fâcheuse affaire! encore un duel ! — Mais point du
tout, mon père ; écoutez donc la fin : il

m'a forcé de le suivre jusqu'à Saint-Cloud, chez un ami qu'il a dans cet endroit-là, et d'y prendre des rafraîchissemens.....— Des rafraîchissemens ?—Oui, mon père, M. de B*** n'a qu'un chagrin, c'est de m'avoir fait une mauvaise querelle; il ne s'en console pas; il m'en a demandé vingt fois pardon; il m'aime, il vous honore; je suis chargé de vous assurer de toute son estime.

Mon père, à ces mots essaya de garder son sérieux; mais n'y pouvant réussir, il me tourna le dos. Madame de Fonrose, qui n'avoit pas les mêmes raisons de se contraindre, s'en donna de tout son cœur. Ses coups-d'œil pourtant m'annoncèrent qu'elle comprenoit où j'avois été prendre des rafraîchissemens. La baronne, quand elle eut bien ri, prit congé de nous : Je vous quitte de bonne heure; nous dit-elle, parce qu'il faut demain me lever de grand matin pour aller au château de la petite comtesse.

Je ne sais pas si madame de Fonrose fut plus matinale que madame de B*** ; mais

avant sept heures un billet de Justine m'é-
veilla.   .

« MONSIEUR LE CHEVALIER,

» M. le vicomte de Florville est chez
» moi; je vous écris sous sa dictée. Il est
» très-fâché que des soins plus pressans
» l'aient empêché de me dire hier, en votre
» présence même, ce qu'il pense de ma
» conduite envers madame la comtesse. Il
» faut qu'une fille de mon espèce ait vrai-
» ment perdu la tête, pour avoir eu l'inso-
» lente audace de faire un outrage public
» à une femme de son rang. Ma folle im-
» pudence auroit pu compromettre aussi
» M. de Florville, parce que, si vous le
» connoissiez moins, vous, monsieur le
» chevalier, vous l'auriez peut-être soup-
» çonné d'avoir eu quelque part à cet
» odieux procédé. Cependant, M. le vi-
» comte, quant à lui, me fait grâce; mais
» il doute que vous soyez disposé à la même
» indulgence pour moi, et il m'annonce
» que si vous ne me pardonnez pas, la
» petite protection de M. de Valbrun, et

» d'autres considérations, pourtant plus
» puissantes, ne m'empêcheront point d'al-
» ler ce soir à... M. de Florville veut bien
» permettre que je n'aie pas l'humiliation
» d'écrire ce mot-là.

   » Je suis avec repentir, avec crainte,
    » avec respect, etc., DE MONTDÉSIR.»

Je lis la réponse suivante :

   » Présente mes hommages respectueux
» à monsieur le vicomte, ma pauvre en-
» fant, assure-le de toute ma reconnois-
» sance ; mais dis-lui bien qu'il s'inquiète
» mal-à-propos; que jamais il ne me pour-
» roit venir à l'esprit qu'il fût capable
» d'employer des moyens comme ceux
» d'hier, et une fille telle que toi, pour
» chagriner madame la comtesse. Tu ne
» manqueras pas d'ajouter que je te par-
» donne, à la triple considération du coup
» de fouet, de la chute, et des soufflets
» d'hier. Et sur tout cela, porte-toi bien,
» ma petite. »

Cependant, au milieu des événemens
extraordinaires qui sembloient tout exprès se précipiter afin d'assurer ma con-

valescence, en m'étourdissant sur ma situation, un moment de repos me fut
donné pour me recueillir, et ce moment
ma Sophie l'occupa tout entier. Libre et
tranquille, j'appelai ma Sophie : O mon
épouse, non moins chérie et toujours plus
regrettée, quand viendras-tu par ta présence diminuer et détruire les vives im-
pressions que produisent sur l'esprit et
dans le cœur de ton jeune mari, trop foible contre tant d'épreuves, la tendresse et
les charmes de tes rivales? Mais, que dis-
je? de tes rivales? Sophie, tu n'en as vraiment qu'une. Celle-là, je ne puis faire
autrement que de l'adorer! et du moins
du moins, je ne lui donnerai pas de com-
pagnes.

Mais que peut un mortel contre la destinée? Mon génie persécuteur, à l'instant
même où je formois les plus belles résolutions, se préparoit à m'imposer la loi de
plusieurs infidélités nouvelles, de plusieurs
infidélités dont on verra qu'il seroit trop
injuste de m'imputer tout le crime.

Madame de Fonrose, que je croyois
déjà bien loin, vint à midi nous annoncer

qu'une indisposition légère l'ayant retenue
à la ville, elle venoit dîner avec nous; et
tout de suite on fit la partie d'aller, en
sortant de table, se promener aux Tuileries: je refusai d'en être. Avant le dîner,
madame de Fonrose, que mon père laissa
quelques instants seule avec moi, me dit:
Vous avez bien fait de ne pas vouloir venir avec nous. Sautez de joie: ce soir, vous
verrez madame de Lignolle.—Il n'est pas
possible!—Écoutez, et remerciez votre
amie. Ce matin, comme j'étois à ma toilette, il m'est venu dans la tête une idée
lumineuse. J'ai couru chez la comtesse
pour lui en faire part; mais, toujours trop
prompte, elle étoit déjà partie. Je me suis
tout-à-coup rejetée sur la vieille tante:
j'ai dit à madame d'Armincour que mademoiselle de Brumont venant d'obtenir
seulement tout-à-l'heure l'inattendue permission d'aller au Gâtinois, m'envoyoit
prier madame la marquise de vouloir bien
retarder son départ de quelques heures,
pour lui donner une place dans sa voiture.
—Dans sa voiture! et pourquoi pas dans
la vôtre?—Belle demande! parce que je

me sacrifie, moi, pour que vous puissie
aller à la campagne, il ne faut pas que j'
aille. Après le concert j'emmène votr
père chez moi, et j'ai, pour l'y reteni
toute la nuit, un moyen que je vous lais
serai deviner, jeune homme. Le baro
fera d'autant moins de difficulté, qu'étan
instruit de l'éloignement de madame d
Lignolle, il ne pourra m'alléguer le dan
ger de vous laisser maître de vos actions
M. de Belcour restera, je vous le promets
je m'engage même à le garder toute l
journée de demain. Demain, je ferai si
bien qu'il ne rentrera qu'à minuit. Ar
rangez-vous pour être, à tout hasard, de
retour avant neuf heures. Vous le pouvez
aussitôt après le dîner, que j'ai demandé
qu'on voulût bien faire avancer, dès que
votre père et moi serons partis, *Agathe*
va venir vous coiffer et vous habiller. Tout
de suite, dans une voiture de place, vous
vous rendrez chez madame d'Armincour ..
Ne perdez pas son adresse...... — Eh!
ne craignez rien! — Il sera peut-être six
heures quand vous partirez. Vous arriverez
encore assez tôt pour passer une bonne

nuit avec la comtesse. Le matin, vous serez à cette fête à côté de madame de Lignolle.... qui aura sans doute les yeux
un peu battus, et plus envie de dormir
que de faire les honneurs de chez elle.....
Mais enfin, il n'y a pas de plaisir sans in-
convénient ; je vois d'ici que sa petite
figure pâlie, fatiguée, vous paroîtra plus
intéressante : mais patience ! vous aussi,
vous aurez votre châtiment ; car un amant
comme Faublas a toujours faim. Monsieur,
il faudra cependant laisser le grand dîner.
J'en suis au désespoir ! A deux heures précises, en chaise de poste.... Chevalier,
n'y manquez pas, au moins ! n'allez pas
céder aux sollicitations de votre étourdie
maîtresse, la compromettre, me désobli-
ger, et vous enlever à jamais les seules
ressources qui vous restent dans la compassion d'une amie telle que moi, d'une
amie...

Mon père, qui rentroit, força la baronne à changer de conversation. Tout se
passa d'abord aussi heureusement que madame de Fonrose me l'avoit annoncé,
vant cinq heures Faublas fut déguisé ;

à cinq heures précises, mademoiselle de
Brumont posoit à peine le bout de ses lèvres sur le menton pointu de la vieille
marquise, qui lui rendoit ce prétende
baiser avec une lenteur vraiment désespé-
rante, et en la poursuivant d'un regard
qu'une tendre curiosité sembloit animer.
Mais, en revanche, mademoiselle de Brumont donnoit une bonne et franche em-
brassade à certaine fille svelte, mince,
élancée, grandelette, et qui n'avoit sur
ses joues de quinze ans que les couleurs
brillantes de la nature et de la pudeur. —
Madame la marquise, voilà une jolie personne !—C'est une cousine de votre amie,
mademoiselle de Mésanges. Je viens de
l'aller prendre à son couvent pour la mener à cette fête... A propos de fête, vous
n'étiez donc pas hier à Longchamps avec
la comtesse ? — Non, madame...... Mademoiselle est des nôtres ? tant mieux !... —
Vous n'y avez pas été, à Longchamps ?—
Non, madame... Je suis bien aise que mademoiselle vienne avec nous ! — J'y ai vu
quelqu'un qui vous ressembloit beaucoup,
reprit l'éternelle bavarde.—Où cela, ma-

dame? — A Longchamps. — Cela se peut
bien......... Voilà une personne vraiment
charmante...... Mais c'est déjà une fille à
marier! — Nous y songeons, répliqua la
douairière. Et vous, mademoiselle, lui
demandai-je? Moi, répondit l'Agnès, en
baissant les yeux, et croisant, d'un air
embarrassé, ses mains beaucoup plus bas
que sa poitrine, moi!.... dame! ça ne me
regarde pas. On m'a dit pourtant qu'on
me le diroit; et c'est que j'ai bien prié
qu'on m'avertît quand il seroit temps. —
Oui, oui, s'écria la marquise, nous vous
avertirons. Tenez! c'est mademoiselle de
Brumont qui vous parlera....... La veille,
vous lui parlerez, n'est-ce pas? Je ne
veux point qu'il lui arrive le même malheur qu'à ma pauvre petite nièce........ Il
pourroit bien lui arriver! En vérité..... ça
ne sait rien non plus, ajouta-t-elle tout
bas, rien! mais c'est vous que je charge
de la mettre au fait. — Avec bien du plaisir. — Pas à présent, pourtant....... Mais
quand le moment sera venu, je vous supplie d'y mettre tout votre talent. — Madame la marquise peut compter sur moi.

1 3*

— Oui. Je me doute bien que je vous trouverai toujours disposée à me rendre de pareils services......... Je ne connois pas de
fille plus obligeante que vous.

Nous partîmes ; et, comme nous mon-
tions en voiture, je ne pus m'empêcher de
faire cette remarque, que mademoiselle
de Mésanges avoit la jambe fine et le pied
très-petit.

Et, comme nous faisions route, je ne
pus m'empêcher d'entrevoir quelquefois,
à travers une gaze infidèle, quelque chose
de fort joli ; je ne pus m'empêcher de me
dire tout bas, que celui-là seroit un for-
tuné mortel, qui, le premier, verroit ce
sein naissant palpiter de plaisir. Mais ce
fut avec un vrai chagrin que je fis bientôt
une autre découverte : c'est qu'il y avoit
sur la figure de la jeune personne je ne
sais quoi de moins piquant que la pudeur
aimable, de plus niais que la simple ingé-
nuité, je ne sais quoi qui sembloit m'avertir que l'amour, ordinairement si prompt
à former les filles, donneroit difficilement
de l'esprit à celle-là.

Au reste, soit instinct, soit sympathie,

mademoiselle de Mésanges paroissoit avoir
déjà béaucoup d'amitié pour moi, quand
nous arrivâmes au château. Tout le monde
y dormoit : une seule femme de chambre
veilloit encore pour madame la marquise
et sa jeune parente. La comtesse avoit eu
soin de réserver à ses plus chers convives
son propre appartement. Sa tante devoit
occuper son lit : elle en avoit fait dresser
un autre pour sa petite cousine, dans le
cabinet voisin, ce cabinet à porte vitrée
où le lecteur se souviendra que j'ai promis
de le ramener plus d'une fois. Quant à
mademoiselle de Brumont, comme elle
n'étoit pas attendue, il n'y avoit point au
château de quoi la loger. Pas une chambre,
pas un lit ne restoient vides. Tous les ans,
à l'époque de cette fête ordinairement
brillante, la marquise recevoit chez elle
sa famille entière; et cette fois, comme il
arrive trop souvent à la campagne, beaucoup d'amis qu'on n'avoit pas priés, étoient
venus le soir, amenant encore avec eux
leurs amis. Mon premier mot fut qu'on
éveillât la comtesse. La vieille marquise
se fâcha presque : il n'étoit pas délicat de

demander qu'on troublât le repos *de son enfant,* des jeunesses pouvoient bien coucher ensemble, et ne mourroient pas pour une mauvaise nuit ! La jeune fille me regarda d'un air boudeur : j'étois une méchante de vouloir qu'on éveillât sa cousine ; ne seroit-il pas plus divertissant de causer ensemble toute la nuit, que d'aller chacune de son côté dormir dans un lit ?

O mon Éléonore ! je te donne ma parole d'honneur que, malgré la *mauvaise nuit* dont la tante me menaçoit, malgré l'intéressante conversation que me faisoit espérer ta cousine, j'insistai pour aller à toi. Mais la marquise, alors, prenant de l'humeur, défendit absolument à la femme de chambre de m'indiquer ton appartement, et lui donna tout d'un coup l'ordre effrayant de nous déshabiller toutes trois. Pouvois-je, je te le demande, aller dans les nombreux corridors de ce vaste château, cherchant de porte en porte la maîtresse du lieu, réveiller à deux heures du matin toute la compagnie : Remarque d'ailleurs que la trop habile domestique dépouilloit déjà ta vieille tante de tous

les attirails de sa toilette , et ne pouvoit
tarder de venir à moi. Sous quel prétexte
cependant refuser bientôt ses très-dange-
reux services ? Conviens donc , mon Éléonore, conviens de bonne grâce qu'il me
fallut sur-le-champ prendre le parti de la
résignation.

Je me déshabillai vite , et je courus au
cabinet, et j'avois déjà le pied dans le très-
petit lit où les demoiselles de Mésanges et
de Brumont auroient sans doute bien de
la peine à pouvoir se tenir toute la nuit
l'une à côté de l'autre.

Mais, ô ciel ! quel coup de foudre vint
m'atterer ! la maudite vieille s'est ravisée.
Apparemment qu'en se rappelant le talent qu'elle me connoît de tout expliquer ,
elle a craint que je n'en fisse avec son
Agnès un usage prématuré. Non, non, me
crie-t-elle de sa voix cassée, qui me paroît en ce moment vingt fois plus rau-
que ; réflexion faite , c'est avec moi que
vous coucherez. Chacun devine comme à
cette proposition je me récriai; mais je ne
dois cacher à personne que la jeune fille
en fut autant que moi révoltée. Quoi !

ma bonne cousine, de peur que nous ne
soyons un peu gênées, vous vous expo-
seriez à passer une mauvaise nuit ? — Ne
crains pas cela, ma petite Mésanges, tu
sais que j'ai le sommeil excellent; rien ne
m'empêche de dormir. — Quoi! madame
la marquise, vous auriez pour moi cette
excessive bonté de permettre que je vous...
incommode?—Point du tout, mon ange!
vous ne m'incommoderez point du tout!...
je remarque que ce lit est fort grand,
nous y serons à merveille, vous verrez !
C'étoit là justement ce que je ne me souciois pas de voir ; je tentai de recommencer mes représentations caressantes : un *je
le veux* très-absolu me ferma la bouche.

Et maintenant plus vite encore et plus
cruellement que tout-à-l'heure, il fallut
m'immoler. J'étois en chemise! Si pourtant
vous n'apercevez pas du premier coup-
d'œil ce qui me gênoit beaucoup, si je
suis obligé de vous montrer dans toute son
étendue l'embarras extrême où je me
trouvois, comment ferai-je pour ne pas
violer un peu l'austère pudeur? Lecteurs,
qui manquez de pénétration, ayez du moins

de l'indulgence. Qui de vous, étant à ma place, auroit pu suffisamment couvrir avec ses deux mains seulement, en étendant l'une sur sa poitrine et jetant l'autre ailleurs, auroit pu suffisamment couvrir la partie faible où il y avoit quelque chose de moins, la partie forte où il se trouvoit quelque chose de trop; quelque chose que, dans le voisinage de mademoiselle de Mésanges, il m'étoit impossible de contenir, et qui, de momens en momens, devenoit plus difficile à cacher (1)? Mademoiselle de Brumont pour dérober Faublas à tous les yeux, n'eut donc, en sa mésaventure, de parti moins mauvais à prendre, que celui d'une prompte obéissance. Il fallut que, sans délibérer, elle quittât l'étroite couche d'une fille novice, pour se précipiter dans le grand lit, où vint

---

(1) *Elle échappa, rompit le fil d'un coup,*
Comme un coursier qui romproit son licou.
                    (Le conte des Lunettes.)
O mon bon La Fontaine! je ne suis pas aussi polisson que toi.

bientôt à ses côtés voluptueusement s'étendre un tendron de près de soixante ans!

Ah! plaignez-le, Faublas! plaignez-le! Jamais situation ne fut pour lui plus chagrinante. Oui, dans ce même lit, il n'y a pas quinze jours, je souffrois moins, lorsqu'indigne de la tendresse de deux amantes, je me sentois, sous les yeux de mon Éléonore et de la marquise, prêt à mourir de ma faiblesse extrême. Et c'est aujourd'hui l'excès de ma force qui cause mes craintes et fait mon supplice! Quoi donc? une sexagénaire, par la seule raison qu'elle est femme, peut-elle allumer dans mon sein ces feux dévorans?.... Mais, n'est-ce pas plutôt, n'est-ce pas qu'à travers une cloison trop mince, les nubiles attraits de cette enfant me font éprouver encore leur brûlante influence?

Approchez-vous, mignnone, approchez-vous, me disoit tendrement ma compagne. — Non, madame la marquise, non, je vous gênerois. — Vous ne me gênerez pas, mon cœur, je n'ai jamais trop chaud dans mon lit. — Moi, madame, la cha-

leur m'incommode.—Cela, par exemple,
je le crois très-possible ! à votre âge j'étois
tout de même... — Oui, sans doute. J'ai
l'honneur de vous souhaiter le bonsoir,
madame la marquise. — J'étois tout de
même, et lorsque M. d'Armincour vouloit faire lit à part, il me rendoit service.
—Fort bien. Madame la marquise, je vous
souhaite une bonne nuit. — Il me rendoit
service de s'en aller...... quand il avoit
fait son devoir bien entendu...... et je lui
rends justice : dans sa jeunesse il ne se faisoit pas tirer l'oreille. Oh ! ce n'étoit pas
un M. de Lignolle ! — Je vous en fais mon
compliment... Je crois qu'il est tard, madame la marquise ? — Pas trop.... approchez donc, ma petite, je ne vous entends
pas.... est-ce que vous me tournez le dos ?
—Oui, parce que.... parce que je ne peux
dormir que sur le côté gauche. — Le côté
du cœur ! voilà qui est singulier ! cela doit
gêner la circulation. — Vraiment oui ;
mais l'habitude.—L'habitude ? mon ange,
vous avez raison !... Tenez, moi, depuis
que je suis mariée.... il y a déjà long-
temps..... —Oui.—J'ai contracté celle de

7.

m'étendre toujours ainsi... sur le dos... et je n'ai pas pu la perdre.—C'est peut-être tant mieux pour vous, car la posture est bonne... Madame la marquise, j'ai l'honneur de vous souhaiter le bonsoir. —Vous avez donc bien envie de dormir ?—Je vous en réponds!—Eh bien!allons, mon cœur... ne vous gênez pas, il y a de la place...... mais où est-elle donc ? tout-à-fait sur le bord du lit ?

Elle fit un grand mouvement : si ma main n'avoit pas arrêté la sienne, bon dieu ! qu'auroit-elle senti !

Ah ! madame, ne me touchez pas ! vous me feriez sauter au ciel ! — Là ! la ! mon poulet, ne sortez pas du lit ; je voulois seulement savoir où vous étiez.... remettez-vous, remettez-vous donc !... mais à votre aise... Vous êtes donc bien chatouilleuse, mon petit cœur ? — Prodigieusement !....... Une bonne nuit, madame la marquise. — Et moi aussi. Je ne sais pas si c'est une habitude... dites.—Je ne crois pas.—Mais, ma petite, ne restez donc pas tout-à fait sur le bord... vous tomberez!— Non.— D'où vient cet entêtement ? pour-

quoi ne pas s'approcher ? il y plus d'es-
pace qu'il n'en faut. — C'est que......
je...... ne puis rien toucher ! si par hasard je rencontrois seulement le bout de
votre doigt.... je me trouverois mal. —
Diable ! c'est une maladie, ça ! comment
ferez-vous donc quand vous serez mariée ? — Je ne me marierai pas. J'ai l'honneur de vous souhaiter le bonsoir, madame la marquise. Et comment auriez-
vous pu rester sur ce lit de sangle, à côté de la petite Mésanges ? — Vous avez
raison, il m'eût été impossible d'y tenir !
Madame la marquise, je vous souhaite une
bonne nuit. — Quelle heure peut-il être?
— Je ne sais pas, madame, mais je vous
souhaite une bonne nuit.

Enfin la bavarde voulut bien se décider
à me faire entendre à son tour le bonsoir si vivement sollicité ; mais ce bonsoir, applaudis toi, Faublas ! ce bonsoir,
tu n'étois pas le seul qui le désirasses.

Dès que la marquise se fut mise à ronfler, car il y avoit encore dans la compagnie de ma charmante coucheuse ce petit agrément, qu'on l'entendoit ronfler

comme un homme; quand donc elle se
fut mise à ronfler, il me sembla qu'à voix
basse on m'envoyoit ce doux appel : Ma
bonne amie ! Je crus que c'étoit un jeu de
mon imagination frappée, cependant je
levai la tête et me tins à l'affût du moindre
bruit; un second *Ma bonne amie*, vint le
moment d'après caresser mon oreille. —
Ma bonne amie, vous-même ! de quoi
s'agit-il ? — Est-ce que vous pouvez dormir, vous ? — Non, en vérité ! je ne peux
pas. — Ni moi non plus, ma bonne amie ;
pourquoi cela ? — Pourquoi ?...... parce
que, ma bonne amie, comme vous le
disiez si bien tout-à-l'heure, il seroit plus
divertissant de causer ensemble.—Puisque
vous le croyez ainsi, venez donc. — De
tout mon cœur ; mais la marquise ?......
— Ma cousine ? oh ! quand elle ronfle,
c'est signe qu'elle dort. — Je vous crois.
— Et elle dort tout de bon, lorsqu'elle
dort. Allez, ma bonne amie, vous ne ris-
quez rien. Venez. — Ah ! comme je vous
le dis : de tout mon cœur, ma bonne
amie.... Mais vous êtes enfermée ! — Certainement ! toujours on m'enferme, moi !

sans cela j'aurois peur ! — Et comment
voulez-vous donc que j'entre ? — Dame !
ce n'est pas moi qui me suis enfermée.
— Je ne dis pas que ce soit vous. — Ce
n'est pas moi, parce que je ne m'aperçois
pas du tout que vous me fassiez peur,
vous, ma bonne amie. — Ma bonne amie,
vous êtes bien bonne. Cependant je suis à
votre porte, un peu légèrement vêtue
pour faire la conversation.— Ah ! mais c'est
madame la marquise qui m'a enfermée.—
Cela n'empêche pas que je ne commence
à me refroidir beaucoup. — Ah ! mais,
c'est qu'elle a la clef dans sa poche, madame la marquise.—Après? je ne l'ai pas,
moi, sa poche. — Ma bonne amie, vous
pouvez la trouver à tâtons.—A tâtons ! ma
bonne amie ! je vais chercher. — Oui, ma
bonne amie; presqu'au pied de son lit,
sur le second fauteuil à gauche, c'est là
que je l'ai vue poser sa poche. — Et que
ne disiez-vous cela tout de suite, ma
bonne amie !

Sans faire le moindre bruit, je trouvai
le fauteuil, la poche, la clef, la serrure.
Je trouvai ma bonne amie qui me regar-

14*

dans son lit pour causer, ma bonne amie
qui, pour me réchauffer, se jeta dans mes
bras et me serra de tout son corps. L'aimable enfant !

Vous, cependant, déesse de mon histoire et de toutes les histoires du monde,
vous qui n'avez pas dédaigné de prendre
mà plume quand il a fallu décemment raconter les croustilleux débats de la nièce
et de la tante, les questions délicates,
multipliées par celle-ci, les amoureuses
instructions à celle-là prodiguées ; ô Clio !
digne Clio, venez ! venez peindre aujour-
d'hui l'étonnement de la cousine, ses premières inquiétudes et ses douces erreurs.
Venez peindre encore autre chose ! venez!
le récit qui me reste à faire est peut-être
plus surprenant et plus difficile qu'aucun
de ceux dont je n'ai pu jusqu'à présent
me dispenser d'entretenir la curiosité publique.

Depuis quelques minutes nous causions
fort amicalement et je commençois à me
réchauffer. Un tiers qui vint se mêler de la
conversation, la troubla. Sa brusque arrivée fit faire à mademoiselle de Mésanges

un haut-le-corps en arrière. — Ma bonne
amie, qu'avez-vous donc qui vous ef-
fraie? — Et mais, vos deux mains sont
là sur mon col.... et pourtant j'ai senti....
j'ai senti comme si vous me touchiez encore quelque part! — Cela vous étonne?
c'est que je suis.... bonne à marier — ...
—...—...— Ma bonne amie, que voulez-
vous que je vous dise... vous a manqué jusqu'à présent parce que vous étiez encore
trop petite fille. — Ah! —...—...—...—
Puisque cela doit-être ainsi, répliqua
notre Agnès, madame la marquise n'a pas
besoin de m'avertir : un si grand changement ne m'arrivera pas sans que je m'en
aperçoive.... Oui, je ris. Je pense qu'on
attrape bien ma bonne amie *Des Rieux*...
— Une bonne amie de votre couvent? —
Oui.... — Avec qui vous allez causer la
nuit? — Quand on oublie de m'enfermer.
—On l'attrappe, cette demoiselle?—Certainement! tout les jours on lui dit qu'elle
est formée; je vois bien que cela n'est pas
vrai, et que c'est parce que l'on attend
encore quelque chose, que l'on ne cesse
de différer son mariage sous différens pré-

textes.—Probablement. Quel âge a-t-elle?
— Seize ans. — Oh! trop jeune encore...
Moi, j'en ai bientôt dix-huit..... — Et
il y a long-temps que vous êtes bonne à
marier? — Un an... à-peu-près un an...
Ah çà, vous ne dites à personne que vous
causez avec cette demoiselle? — Je ne
suis pas si bête! on s'arrangeroit de manière que nous ne pourrions plus. —Ainsi
vous ne vous aviserez pas de conter que
je suis venue cette nuit vous entretenir?
— N'ayez pas peur....... A propos, il y a
quelque chose qui nous tourmente beaucoup, *Des Rieux* et moi. Vous me direz
sûrement cela, vous, ma bonne amie.
Qu'est-ce que c'est qu'un homme? — Un
homme? Je donnerois tout au monde pour
le savoir, ma bonne amie! — Oui! eh
bien, soyez de l'accord que nous avons fait,
Des Rieux et moi. — Voyons? — C'est
que la première des deux qui se marieroit
viendroit, dès le lendemain, tout conter à
l'autre. — Va, j'en suis!... — Ma bonne
amie, vous m'embrassez presque tout
comme *Des Rieux* m'embrasse, et je ne
sais pas, il me semble que cela me fait

encore plus de plaisir. — Cela vient de ce qu'apparemment je vous aime davantage que vous ne lui plaisez.—Ma bonne amie…
—Eh bien ?

Que vouloit-elle faire de ma main dont elle s'empara tout d'un coup, en disant : Embrasse-moi donc tout-à-fait comme *Des Rieux* m'embrasse, ma bonne amie. —Ma bonne amie, pas tout-à-fait comme ; mais peut-être un peu mieux.

Quoique je ne cessasse de l'assurer que tout seroit bientôt fini, que le plus diffi- cile étoit déjà fait, la jeune personne, après quelques foibles cris à grand peine étouffés, ne put retenir un dernier cri plus perçant. Je ne vous dirai pas ce qui causoit alors ses souffrances ; mais je crois vous avoir prévenu que mademoiselle de Mé- sanges avoit le pied très-petit.

N'étoit-ce pas une chose bien cruelle que d'être obligé de quitter le champ de bataille au moment où la victoire se dé- claroit? Il le fallut pourtant! La mar- quise, tout-à-coup tirée de son premier sommeil, s'agitoit en murmurant ces mots : Mon Dieu!…,. mon Dieu !…. c'est

un songe !... Ah ! ce n'est qu'un songe !
Aussitôt je pris mon parti, je quittai
le lit de l'*ex-pucelle*, et me traînai sur
les genoux, en m'aidant de mes mains,
jusqu'au lit de la douairière. Alors celle-
ci, tout-à-fait réveillée, s'inquiétoit vraiment beaucoup de ce qui avoit causé le
bruit qu'elle venoit d'entendre : Hélas !
c'est moi, madame. — Vous, mademoiselle ? et où êtes-vous donc ? — Par
terre dans la ruelle, je viens de me laisser tomber. — Aussi, vous voulez rester
sur le bord ? — Au contraire, madame
la marquise ! — Comment, au contraire ?
— Je me suis trop approchée. — Hé bien !
— Hé bien ! madame, en dormant, se remue ; madame a avancé sa jambe ; sa jambe
m'a touchée. — Je ne l'ai pas fait exprès,
ma chère enfant.... Là ! bien ! remettez-
vous.... et restez à quelque distance. —
Oh ! oui. — Ma petite, vous m'avez réveillée en sursaut...... — Ne me grondez
pas, madame la marquise : j'en suis au
désespoir. — Je ne vous gronde point, il
n'y a pas grand mal : nous allons causer
un moment. — Je vous prie de m'en dis-

penser. Je me sens déjà toute malade d'avoir si peu dormi... — Écoutez du moins mon rêve que je faisois...... — Bonsoir, madame la marquise. — Ah! je veux vous conter mon rêve!—Mais, madame, vous ne pourrez plus ensuite vous rendormir ! — Oh! que si! tant que je veux, moi!.... Mon cœur, où va-t-on prendre ce qu'on voit dans les songes ? La scène étoit ici : je rêvois qu'un insolent m'épousoit de force.... — Ah !..... ah! madame la marquise! quel homme pouvoit donc avoir cette audace ?—Devinez.—Ce n'étoit pas moi, toujours.—Non, ce ne pouvoit pas être vous ; mais c'est apparemment votre frère..... — Je n'ai pas de frère. — Je ne dis pas que vous en ayez, ma mignonne. Tous les jours on rêve ce qui n'est point... Dans mon songe, c'étoit votre frère : car il vous ressembloit à s'y méprendre !...... —Pardonnez-moi donc ce nouveau tort.... — Vous badinez, mon ange, ce n'est pas votre faute, d'abord, et puis il n'y a point de mal !..... Mais écoutez, ce n'est pas tout....— Quoi! l'impertinent!....... il a peut-être eu le courage de recommencer ?

— Non. Je l'ai vu bientôt me quitter pour aller dans ce cabinet.... — Dans ce cabinet ? — Sans ma permission; entendez-vous?—Sans votre permission?—Se marier avec la petite de Mésanges... — La petite de Mésanges ! — Qui le laissoit faire. — Qui le laissoit faire!—Attendez donc. Voici le plus singulier : l'enfant n'étant pas comme moi rompue à cet exercice..... — Eh bien !—La douleur....—La douleur ! —Lui a fait pousser un cri...—Un cri !— Qui m'a réveillée.

Qu'on se figure, s'il est possible, la mortelle frayeur dont j'étois agité. Ce rêve, si convenable à la circonstance, la marquise l'avoit-elle eu réellement ? Étoit-ce un avertissement tardif que l'hymen, ennemi né de tous les succès de l'amour, venoit d'envoyer à la trop peu vigilante duègne, afin d'empêcher du moins que mon triomphe ne s'accomplît ? ou, par un malheur plus grand, la vieille maudite avoit-elle, à l'instant même, avec une admirable présence d'esprit, inventé ce prétendu songe tout exprès pour me donner clairement à comprendre que mon crime étoit découvert, qu'un entier dévouement pouvoit seul l'expier, qu'il falloit tout-à-l'heure m'avancer au supplice qui dans ses bras m'attendoit? A cette dernière idée, tous mes sens à-la-fois se soulevèrent. Je rappelai pourtant mon courage, afin de m'assurer par quelques questions adroites des vraies dispositions de madame d'Armincour.

Est-ce donc sérieusement!... — Sérieusement, mon petit cœur. — Quoi! madame, vous entendiez?... — Vraiment, oui! j'entendois. — Vous m'avez dit aussi que vous aviez vu! comment pouviez-vous voir sans lumière? — Ah! dans mon rêve il faisait jour.

Cette réponse faite du ton le plus simple me rendit ma tranquillité : Bonsoir, madame la marquise. — Allons, mon enfant, puisqu'absolument vous le voulez, bonsoir!

Ma compagne, à ces mots, se rendormit; et son ronflement nazillard, qui tout-à-l'heure déchiroit mon oreille, maintenant la caressoit comme l'auroit pu faire la voix la plus enchanteresse, la voix de

7. 15

Baletti! Ne vous en étonnez pas : il m'annonçoit que l'heure du berger m'étoit rendue ! c'étoit l'heureux signal auquel je devois me hâter d'aller reprendre un charmant ouvrage très-avancé, mais enfin malheureusement interrompu comme il s'achevoit. Pressé d'y mettre la dernière main, je soulevai la couverture avec infiniment de précaution, et déjà mes pieds touchoient le carreau, quand j'entendis tout-à-coup cesser le ronflement propice. Une main pote et ridée, qui me parut celle de Proserpine, me saisit par la nuque et me tint là quelque temps en arrêt : Un instant ! me dit enfin l'infernale vieille, j'y vais avec vous. Elle y vint en effet, mais pour refermer soigneusement la porte : Dormez ! mademoiselle, dormez ! cria-t-elle à la petite de Mésanges ; prenez patience ! nous vous marierons bientôt. — Ah ! mais, madame la marquise, répondit ma bonne amie d'une voix traînante, je ne suis pas encore bonne à marier, moi ! — Oui, oui, répondit l'autre en la contrefaisant, petite sucrée ! vous avez l'air de n'y pas toucher ! cela n'empêchera

pas qu'on n'y mette ordre, et cela le plutôt possible. Allons, vous, la demoiselle
aux habitudes, ajouta-t-elle en me re-
conduisant à son lit par la main, voyons
si vous ne pouvez en effet veiller que pour
les jeunes.

A ces terribles paroles qui m'annonçoient des tourmens tout prêts, je sentis
un frisson mortel glacer mon sang, mon
sang qui, rappelé de toutes les extrémités,
reflua vers le cœur avec une prodigieuse
vitesse. Tremblant de tous mes membres,
je me laissai traîner vers l'échafaud. Je
tombai sur ce lit où déjà m'attendoit une
furie pour m'étreindre de ses bras ven-
geurs; j'y tombai sans force, sans mouvement, presque sans vie.

Il y eut un moment de silence, après
quoi, de sa voix cassée qu'elle s'efforçoit
d'adoucir, l'impatiente marquise me demanda si j'avois oublié son rêve, si je comp-
tois ne l'accomplir qu'en un point seulement. Hélas! j'y songeois, à son rêve! je
songeois qu'il paroissoit indispensable de
prévenir, par mon dévouement généreux,
de plus grands malheurs. Devois-je, en

faisant à madame d'Armincour une insulte
qu'aucune femme ne pardonne, exposer
à sa facile vengeance mademoiselle de
Mésanges prise, pour ainsi dire, sur le fait,
et ma chère de Lignolle, sans doute aussi
compromise ? devois-je risquer de me
mettre ainsi sur les bras toute la cohue des
trois familles réunies ? Il n'y avoit donc
plus qu'un magnanime effort qui pût sauver mes deux maîtresses et me sauver moi-
même.

Jamais, plus qu'alors, je n'éprouvai
combien un *résolu* jeune homme, dont le
grand courage est d'ailleurs commandé
par la nécessité qui presse, peut en toute
occasion compter sur lui-même. Après de
courtes indécisions, après quelques premiers momens d'abattement et de terreur
inséparables de l'épouvantable entreprise
à laquelle j'étois appelé, je me sentis
moins incapable de la tenter et peut-être
de la mettre à fin. Malheureux! ton heure
est donc enfin venue !... Allons, Faublas!
allons, du cœur! immole-toi. Ainsi j'en-
courageois tout bas ma vertu qui chance-
loit encore, et pour l'affermir, j'eus be-

soin d'un nouvel effort. Mais enfin la victime ne désirant plus rien que de s'épargner au moins de si cruels apprêts, que d'accomplir le douloureux sacrifice en un seul instant, s'il étoit possible, la victime résignée se précipita tout d'un coup sur son bourreau.

Quelle vivacité! s'écria la maligne vieille en ricanant. Doucement, monsieur, doucement donc! mon rêve a dit que vous m'épousiez de force! de force, comprenez-vous? Or, je vous le demande, êtes-vous disposé à de grandes témérités? Avez-vous l'intention bien déterminée de violer la douairière d'Armincour? — Non, madame, en vérité, j'ai trop d'honneur pour me permettre une aussi indigne action. — Eh bien! tenez-vous donc tranquille à mes côtés. J'ai pu vous faire une malice, la gaieté est de tous les âges, et pour moi de tous les instans, quand il n'est pas question de mon Eléonore. Mais ce seroit pousser un peu trop loin la plaisanterie, que d'accepter ce que vous avez la générosité de m'offrir. Gardez, gardez pour les jeunes femmes : si la tante vous prenoit au mot,

15*

la nièce pourroit n'être pas contente. —
La nièce ! vous pensez que madame de Lignolle... — Assurément, je le pense ; mais
pour le moment laissons la comtesse ; il
nous convient de traiter un objet plus
pressant. Monsieur, vous parliez tout-à-
l'heure d'une indigne action : mais ne
sentez-vous pas que celle dont vous vous
êtes rendu coupable pendant mon sommeil
est horrible ? — Madame..... quel autre à
ma place... — A votre place, et pourquoi
vous trouver à cette place où vous ne
deviez jamais être ? Pourquoi venir chercher des tentations auxquelles personne
ne résisteroit ? Pourquoi surprendre la
confiance des parens par un déguisement
perfide ? Monsieur, je ne vois rien qui
vous puisse excuser....... mais vous avez,
du moins, je l'espère, quelques moyens de
réparer l'injure que vous venez de faire
dans la personne de mademoiselle de Mésanges à tous ses parens ici rassemblés ?—
Madame... — Sans doute, vous épouserez
cette enfant?—Madame...—Répondez net:
ne le voulez-vous pas? —De tout mon cœur!
—Oh ! oui ! il épouseroit toute la famille,

lui.... toute la famille ! et moi-même !......
je n'avois qu'à le laisser faire ! — De tout
mon cœur, comme je vous dis; mais......
— Voyons votre *mais*. — Je ne le peux
pas. — Vous êtes marié, n'est-il pas vrai ?
— Oui, madame. — C'est cela ! voilà qui
devient certain. — Qu'est-ce qui devient
certain ? — Laissez, monsieur, laissez !
je me parle, à moi... Vous voyez bien que
c'est une chose épouvantable de... séduire
ainsi des jeunes personnes qu'il ne vous est
même pas possible de prendre en mariage.
Car elle est séduite, n'est-ce pas ? c'est une
affaire finie ? — Madame....... — Parlez,
monsieur. Ce qui est fait est fait, il n'y a
plus de remède; mais au moins, vous voudrez bien me dire en quel état précisément
vous avez laissé la jeune personne... Je me
suis sûrement réveillée trop tard pour
elle ?.... mais c'est qu'aussi, puisque j'a-
vois des soupçons, je n'aurois pas dû me
laisser aller au sommeil !....... cependant,
le moyen de croire qu'ils auront, avec la
volonté de faire.... une sottise, l'adresse,
l'audace et le temps nécessaires, quand
moi, qui dois être bien tranquille sur

mon propre compte, je tiens le mauvais
sujet dans mon lit et la petite fille sous la
clef, et la clef dans ma poche ! Il faut être
un vrai diable ! un diable enragé....... Allons, monsieur, convenez-en, la jeune
personne a..... la jeune personne est......la
jeune personne a tout-à-fait subi la méta-
morphose ? — Madame, à ne vous rien
cacher, je crois mon triomphe complet...
— Le beau triomphe ! bien difficile, en
vérité l — Très-difficile, car la charmante
enfant..... — Bon ! le voilà qui, dans son
enthousiasme, va me faire des détails. —
Ah ! pardon, madame, difficile ou non ,
j'en ai si peu joui, que je n'imagine pas
qu'il en puisse résulter pour mademoiselle
votre cousine des suites bien sérieuses. —
Comment l'entendez-vous ? expliquez-moi
cela. —J'entends qu'on ne doit guère présumer la grossesse. — Voyez donc ! s'é-
cria-t-elle avec feu : la belle grâce que
vous nous faites-là ! Mais en attendant,
monsieur, la virginité est à tous les diables ! comptez-vous cela pour rien , vous?
auriez-vous été content si l'on vous eût
donné en mariage une fille déjà tout ins-

truite?...—Instruite? elle ne l'est pas. —
Que dit-il? — Elle l'est si peu qu'elle
me croit demoiselle. — Mais vous même,
me croyez-vous faite d'hier pour me fa-
briquer de pareils... — Madame la marquise, ne vous fâchez pas, je vais tout
vous conter.

La bonne parente, qui ne m'entendit
pas sans m'interrompre par des fréquentes
exclamations, s'écria quand je n'eus plus
rien dire : Voilà qui est fort extraordinaire et qui diminue un peu le mal... un
peu. Monsieur, je vous demande le plus
profond secret, et je compte assez sur un
reste d'honnêteté.... — Comptez-y, madame. — Vous sentez qu'à présent je ne
puis, trop tôt marier cette enfant-là, ce
ne sera pas une chose difficile : elle a de
la figure et du bien. Il ne lui manque
rien.... rien que ce que vous venez de lui
ôter. Mais cela ne paroît pas sur le visage
d'une fille, et fort heureusement, voyez-
vous ! car, entre nous soit dit, il y a
beaucoup de belles demoiselles qui ne s'é-
tabliroient jamais. Celle-là sera donc pour-
vue le plutôt possible ; et comme le hasard

pourroit faire que bientôt vous entendis-
siez dans le monde parler du nigaud qui
se disposerait à l'épouser, ne vous avisez
pas alors de....—Soyez parfaitement tranquille. Il faut, je le sens bien, que cette
aventure reste absolument entre vous et
moi. — Bien, monsieur. Je ne dirai rien
à la jeune personne; car, que lui dirois-je?
c'est une petite sotte qui, sans le savoir,
s'est avisée de faire la grande fille. Voilà
tout. Laissons-lui son erreur ridicule, mais
utile. Seulement, pour qu'elle ne puisse
ni la communiquer, ni l'apercevoir, j'aurai soin de la recommander à son couvent,
elle et sa bonne amie qui *l'embrasse.* Cependant si vous jugez que cela puisse être
convenable, nous pourrons mettre sa cousine dans le secret.—Sa cousine? — Oui.
—Madame de Lignolle? oh! non, non.
— Vous ne vous en souciez pas? il est
vrai qu'elle est bien vive pour être bien
discrète. — Sans doute. — D'ailleurs votre conduite l'intéresse peut-être assez...,
—L'intéresse? point du tout!—Point du
tout? Ah! monsieur, maintenant je sais
que la jeune personne qui lui a tout expli-

qué est un cavalier charmant! et vous
voulez que je sois encore votre dupe? —
Madame..... — Laissons cela : c'est un article très-délicat auquel nous reviendrons
quand il en sera temps. Monsieur, je vous
souhaite à mon tour une bonne nuit. Re-
posez-vous, si bon vous semble, mais
croyez que je ne m'endormirai plus.

J'usai de la permission, car après les
diverses agitations de cette nuit heureuse
et fatale, le sommeil me devenoit bien
nécessaire. Cependant on ne m'en laissa
pas long-temps goûter les douceurs : les
premiers rayons du jour amenèrent dans
notre chambre madame de Lignolle,
qui se servit de son passe-partout pour
entrer. Je fus réveillé par les baisers qu'elle
me donnoit : Te voilà, ma petite Brumont! quel bonheur! je ne t'attendois pas!
tout à l'heure, par hasard, on vient de me
dire....

Elle courut au cabinet avec une inquiétude marquée; et regardant à travers les
vitres : Ma tante, vous avez mis là ma petite cousine toute seule? Vous avez bien
fait. — Pas trop, ma nièce. — Pourquoi?

— Parce que j'ai passé une assez mauvaise
nuit. — Et vous l'avez enfermée, ma cousine? ah! c'est encore mieux, cela! —
Mieux! d'où vient? — Ai-je dit mieux,
ma tante? — Oui, ma nièce. — C'est que
je parle sans réflexion; car... quel danger?
— Sans doute. Dans un appartement où
il n'y a que des femmes. — Que des femmes, oui, ma tante; et des hommes dans
les appartemens voisins, pour les défendre
en cas de... — Oui, voilà ce que c'est! —
Pourquoi donc n'êtes-vous venue qu'à
deux heures du matin, ma tante? —
Parce que j'ai voulu vous amener cette
chère enfant, ma nièce? — Que vous êtes
bonne! — Bien bonne, n'est-ce pas? —
Brumont, pourquoi donc ne m'avez-vous
pas fait éveiller? — C'est moi, ne la grondez pas, c'est moi qui n'ai pas voulu qu'on
vous éveillât. — Vous avez eu bien tort,
ma tante... Tu ne dis mot, ma petite Brumont, tu es triste? va, je suis aussi bien
fâchée. — De quoi, ma nièce? — Mais,
de ce que vous avez été toutes deux fort
mal couchées. — Tu avois donc un lit
pour cette enfant? — Elle auroit partagé

le mien, ma tante — Voilà justement ce
que je n'ai pas voulu, ma nièce. — Vous
auriez pourtant passé une meilleure nuit.
— Oui, mais toi? — Bon! nous nous ar-
rangeons bien ensemble. — C'est pourtant
une très-mauvaise coucheuse. — Trouvez-
vous, ma tante? — Elle remue toute la
nuit! sans cesse elle étoit sur moi! — Sur
vous? — A-peu-près! — A-peu-près! bon! —
Je ne cessois de la repousser. Elle m'échauf-
foit! elle m'étouffoit! elle... — Mon Dieu!
mais..... — Eh bien! ma nièce, qu'est-ce
qui vous inquiète? — Mais... vous... vous
en avez donc été prodigieusement incom-
modée? — Vraiment! si cela m'arrivoit
toutes les nuits!.... à mon âge!.... mais
pour une fois!

Madame de Lignolle fut pleinement ras-
surée par le ton de bonhomie dont sa
maligne tante prononça ces dernières paroles. L'étourdie nièce n'en vit que le côté
plaisant. Ah! mais toi, Brumont, s'écria-
t-elle en m'embrassant, tu as dû passer
une bonne petite nuit. Ma tante ne t'aura
pas empêchée de dormir?... Tiens, tu as
du chagrin; et moi aussi, je t'assure. Je

7.   16

suis désolée qu'on ne t'ait pas indiqué ma chambre. Cependant.... tiens.... conviens que c'est bien drôle.... de te voir ainsi.... là.... près.... tiens, pardonne, mais je ne peux plus y tenir.

En effet, les éclats de rire, quelque temps retenus, s'échappèrent. L'explosion fut si forte et dura si long-temps, qu'enfin la comtesse tomba sur le lit, où elle en pâma. Cette écervelée rit de si bon cœur, qu'elle vous donne envie d'en faire autant, dit la tante; et elle imita la nièce de manière que je vis le moment qu'elle la surpasseroit. Comment alors me défendre de partager leur gaieté? Notre joyeux *trio* fit tant de bruit, que mademoiselle de Mésanges en fut réveillée.

La prisonnière vint frapper à ses carreaux. Madame de Lignolle, dit la marquise, ouvre à cette enfant; prends la clef dans ma poche. La comtesse, pour avoir plutôt fait, se servit de son passe-partout; sans entrer dans le cabinet, cria bonjour à sa cousine, et revint de mon côté s'asseoir sur le bord du lit: la petite de Mésanges, volant sur ses pas, arriva comme elle,

et me dit en m'embrassant : Bonjour,
ma bonne amie. Qu'est-ce que c'est donc,
s'écria la comtesse, surprise et fâchée ?
qu'est-ce que c'est donc que ces familia-
rités-là ? et ce nom que vous lui donnez ?
Apprenez que je ne veux pas qu'on embrasse mademoiselle de Brumont, et qu'elle
n'est la bonne amie de personne. Bien ! ma
nièce, s'écria la marquise, bien ! mori-
génez un peu cette effrontée : cela vient
tout de suite manger dans la main ! La
bonne amie de personne ! répondit cependant notre Agnès, devenue plus hardie :
ah ! celui-là est drôle ! je ne sais peut-être
pas que c'est ma bonne amie, à moi ! Mais,
mademoiselle, reprit madame de Lignolle,
allez donc, s'il vous plaît, mettre un
mouchoir, vous êtes toute nue ! — Qu'est-
ce que ça fait, ça, répliqua l'autre, il n'y a
pas des hommes ici. La marquise la con-
trefit : Non, il n'y a pas des hommes ; et
d'un ton brusque elle ajouta : mais il y a
des femmes, des femmes, entendez-vous,
petite sotte ?.... Allez.... Un moment, un
moment ! comme vous avez les yeux battus ! quel métier avez-vous donc fait cette

nuit ? — Qu'est-ce que j'ai fait ?..... rien ,
puisque je n'ai pas seulement dormi. —
Et pourquoi n'avez-vous pas dormi ? —
Pourquoi?...ah, dame! parce que j'écoutois
toujours pour voir si je ne vous entendrois
pas ronfler..... — Ronfler! cette expression!... vous aimez donc bien à entendre
ronfler ! — Ce n'est pas ça , mais c'est que
quand on est toute seule dans un lit à
s'ennuyer, il faut bien qu'on s'amuse de
quelque chose.

En parlant, elle jouoit avec une boucle
de mes cheveux Tout-à-coup l'impatiente
comtesse l'apostropha d'une bonne tape
sur la main; et la prenant par les épaules,
elle la reconduisit à son cabinet, en lui
répétant d'aller mettre un mouchoir. La
marquise l'applaudit : Oui, mon enfant,
donne-lui des leçons de décence, va;
donne-lui des leçons de décence... Tiens,
madame de Lignolle, rends-moi le service de l'aider à s'habiller, afin qu'elle
ait fait plus vite, et que nous puissions la
renvoyer, car il faut que je te parle.

Je vous réponds que la comtesse, assez
contrariée d'être un instant ailleurs qu'à

mes côtés, eut bientôt fini avec la cousine.
Je vous réponds que, pour l'habiller de la
tête aux pieds, il lui fallut moins de temps
qu'ordinairement elle n'en mettoit à me
passer un seul jupon. Aussi toutes deux
rentrèrent bientôt dans la chambre à coucher. La marquise complimenta l'une sur
sa promptitude, et pria l'autre d'aller se
promener dans le parc. — Ah! mais c'est
qu'il est de bonne heure pour se pi omе-
ner! — Tant mieux, l'air du matin vous
rafraîchira, — Ah! mais c'est que pour se
promener.... il faut marcher. — Eh bien?
—Eh bien! j'ai de la peine à marcher. —
Bon! mademoiselle la douillette! ses souliers la blessent! — Non, ce ne sont pas
mes souliers. Ce n'est pas au pied que j'ai
mal. — En voilà assez de dit. Partez, partez. — C'est apparemment que ça me gêne
quelque part, parce que.... — Oh, mon
dieu! cette manière de parler si lente me
fait mourir, interrompit la comtesse. Est-
ce votre corset qui vous gêne? — Oh que
non! oh que non! ce n'est pas non plus
mon corset.—Eh, pour Dieu! quoi donc?
— Dame! c'est qu'apparemment je com-
16*

mence..... apparemment que je vais devenir aussi bonne à marier, moi ! — Tiens,
s'écria la marquise, quelle sottise elle vient
nous.... Madame de Lignolle, fais-moi
donc, je t'en prie, partir cette impertinente ; tu ne vois pas qu'elle ne sait que
dire et qu'elle ne veut que tuer le temps.
—Oh ! que si, je sais ce que je dis... Toujours, malgré que ça ne soit pas bien nécessaire, souvenez-vous que vous m'avez
promis de m'avertir.

Nous n'entendîmes pas le reste, parce
que la comtesse voyant enfin sa cousine
dans le corridor, lui ferma doucement la
porte au nez.

Fort bien, ma nièce, et mets les ver-
roux, que personne ne vienne nous interrompre !..... Oui, assieds-toi là sur le
bord du lit. Mais regarde-moi donc aussi
quelquefois. Tu n'as des yeux que pour
mademoiselle de Brumont. — Ah ! c'est
pour la consoler. Elle a du chagrin, voyez-
vous. — Il est sûr qu'on ne l'entend pas
souffler, et elle ne paroît point dans son
assiette ordinaire. — Oh ! non, dit madame de Lignolle, en m'embrassant : elle

est désolée qu'on ne l'ait point amenée chez moi.... Elle a sûrement beaucoup d'amitié pour vous , ma tante; mais, comme elle me connoît davantage , elle eût mieux aimé passer la nuit à mes côtés, je le gagerois. — Là! là! madame, ne vous en faites pas tant accroire! Si je l'avois souffert....... — Plaît-il? ma tante. —Oui, ma nièce. Vous imaginez que parce qu'on n'est pas tout-à-fait si jeune et si gentille que vous....— Comment ? — Eh! mon dieu, il ne tenoit qu'à moi. — Ce que vous dites là, ma tante, est.... — La vérité. — De toutes les manières incompréhensible.—Je vais donc m'expliquer, ma nièce. — Ah! vite! vite! je suis sur des charbons brûlans.

Madame de Lignolle, il me paroîtroit en effet très-étonnant, mais pourtant très-désirable que vous ne connussiez pas tout-à-fait si bien la prétendue demoiselle ici couchée près de moi. — La prétendue demoiselle! — Ma nièce, je vous déclare, et puissé-je vous apprendre quelque chose qui vous surprenne, je vous déclare que cette jolie fille est un homme. — Un homme ! Êtes-vous.... êtes-vous sûre, ma tante ? — Sûre... Et lui-même... il est là pour me démentir, si je ne dis pas l'exacte vérité; lui-même vouloit, il n'y a pas deux heures, m'en donner des preuves. — Vouloit vous en donner... Cela ne se peut pas. — Ne vous en étonnez pas trop, ma nièce; il s'y croyait obligé.— Obligé ! pourquoi?— Ah ! demandez-lui. Dites pourquoi,s'écria-t-elle en m'adressant la parole avec une extrême vivacité : parlez, parlez enfin, parlez donc. Vous me voyez , lui répondis-je , si stupéfait de tout ce qui m'arrive, que je n'ai pas la force, de dire un mot. Il veut me forcer à faire moi-même ce pénible aveu, reprit la marquise: ma nièce, il s'y croyoit obligé , parce que je l'exigeois. — Vous l'exigiez , ma tante ? — Rassurez-vous, je n'en avois que l'air. —Que l'air ! — Oui, je vous dis, j'ai fait grâce au généreux jeune homme , quand je l'ai vu prêt à s'immoler. Cependant il le pouvoit ! s'écria la comtesse, aussi surprise que désolée. — Il le pouvoit; oui, ma nièce. C'est, j'en conviens, un compliment qu'il faut lui faire. — Il le pou-

voit ! répéta madame de Lignolle, d'un ton
qui n'annonçoit pas moins d'étonnement,
et marquoit une affliction plus profonde.
Voilà de suite, lui répondit la marquise,
deux exclamations qui ne sont pas très-
polies. —Il le pouvoit! —Enfin, ma nièce,
tu veux donc que je me fâche... Vous vou-
driez donc, madame, qu'il ne trouvât jamais ces choses-là possibles que pour vous?
—Pour moi ! —Madame d'Armincour l'interrompit d'un air très-sérieux : Éléonore,
je vous ai toujours connue extrêmement
franche, avec moi surtout. Avant de vous
faire violence, pour sortir de votre caractère, avant de vous décider à me soutenir
un mensonge trop invraisemblable, écoutez-moi.

Cette demoiselle est un homme : j'ai
malheureusement plusieurs raisons de n'en
point douter : il y a plus, je sais maintenant son véritable nom, et tout me dit que
depuis long-temps vous ne l'ignorez pas,
ma nièce. Hier, j'allai sur les cinq heures
à Longchamps, où je fus étonnée de vous
voir, de si bonne heure surtout, vous qui,

le matin même, aviez, sous prétexte de
quelques affaires, refusé d'y venir le soir
avec moi. Vous ne m'avez seulement pas
aperçue, madame, parce que vous n'aviez
des yeux que pour un cavalier qui, de son
côté, vous regardoit continuellement. Voilà
ce qui me le fit remarquer. C'étoit mademoiselle de Brumont, sous des habits
d'homme, ou pour le moins un frère à
elle, un frère, dont la figure absolument
pareille, excitoit votre attention comme la
mienne. Je m'arrêtai naturellement à cette
idée; et dans ma parfaite sécurité, je ne
songeai même pas à pousser plus loin les
conjectures. Cependant, immédiatement
après votre voiture, venoit, dans une voiture beaucoup plus belle, une espèce de
fille fort élégante, qui lorgnoit aussi ce
jeune homme dont elle étoit quelquefois
lorgnée. Apparemment que cette femme
ne vous aime guère, et que vous ne l'aimez pas davantage; car elle s'est permis
de vous faire une impertinence dont vous
l'avez bien punie. Je vous en fais mon compliment; j'en ai ri de tout mon cœur.

Comme j'en riois pourtant, il s'élève tout-
à-coup une grande rumeur. Tout le monde
court, chacun se précipite sur *le* ou *la*
Brumont, que je suivois toujours des yeux
dans l'intention de l'appeler, afin de causer un instant avec *lui* ou avec *elle*. Moi,
tout ébahie d'un si prodigieux concours,
pauvre provinciale, je demande si l'usage
des dames de Paris, est de courir ainsi
comme des folles, pêle-mêle avec les hommes, après le premier joli garçon qu'elles
rencontrent. Tous ceux qui m'entourent,
me crient : Non pas, non pas! mais celui-
ci mérite l'attention générale; c'est un
charmant cavalier, déjà fameux par une
aventure extraordinaire : c'est mademoiselle Duportail, c'est l'amant de la marquise de B★★★. Vous pouvez juger de mon
étonnement. Aussitôt j'ouvre les yeux,
je me rappelle mille circonstances inquié-
tantes; et, sans trop de malignité, je suis
obligée de me dire qu'il devient très-pro-
bable que l'amant de la marquise est aussi
l'amant de la comtesse. Cependant il ne
faut pas me hâter de juger légèrement une
nièce que j'estime. Je verrai, je l'observe-

rai; je la questionnerai demain, puisque je vais la joindre au Gâtinois. Point du tout! au jour désiré; l'obligeante madame de Fonrose arrive chez moi, qui me propose tout doucement l'honnête commission de vous mener l'ami du cœur. Charmée d'un hasard favorable à mes secrets desseins, j'accepte, bien résolue à examiner de près la demoiselle, et à faire en sorte que vous ne puissiez pas me réduire à jouer chez vous le rôle d'une complaisante. J'arrive avec l'heureux mortel : peut-être croyoit-il, vous voyant couchée, qu'il partageroit du moins le lit de la petite de Mésanges. Tout au contraire, je le confisque à mon profit. Au commencement de la nuit, je le tourmente : une heure après, je... je le prends, pour ainsi dire, sur le fait. Il ne m'avoue pas son nom que je ne demande point; mais il ne peut nier son sexe. Enfin, le matin vient ; et pour qu'il ne me reste aucune incertitude à cet égard, je découvre en plein le chevalier de Faublas.

A ces mots, elle me découvrit en effet; car d'un coup de main rapide elle enleva

la couverture, qu'elle jeta presque sur mes
pieds, et du même temps elle me la ramena sur les épaules. Le moment fut court,
mais décisif. Le hasard, qui se déclaroit
contre moi, voulut qu'alors je me trou-
vasse arrangé dans le lit de manière que
la pièce du procès la plus essentielle ne
pût échapper au prompt regard de l'accusé,
de sa complice, et de leur juge. Maintenant, ma nièce, s'écria la marquise, j'espère
qu'il ne vous reste aucun doute. Là ! je
dis, en supposant qu'il fût possible de
croire qu'avant ceci vous en eussiez. Mais
convenez, poursuivit-elle, en m'appliquant
un vigoureux soufflet, de la même main
qui venoit de m'exposer presque nu aux
regards confus de madame de Lignolle, convenez qu'il faut que ce M. de Faublas soit
un effronté petit coquin, pour être aujourd'hui venu coucher avec la tante, par
la seule raison qu'il ne pouvoit plus coucher avec la nièce !

Ma tante, s'écria la comtesse avec un
peu d'humeur, pourquoi donc frapper si
fort ? Vous lui ferez mal ! —Oui, mal ! il
est trop heureux : c'est une faveur..... Ma-

7.   17

dame de Lignolle, à présent que vous ne pouvez plus, sous prétexte d'ignorance, vous en défendre, il faut, tout-à-l'heure, prier monsieur de se lever, le mettre sans esclandre à votre porte, et l'y consigner pour jamais. — Le mettre à ma porte ! ma tante ; eh bien ! je vous le dis : c'est mon amant, c'est l'amant que j'adore. — Et votre mari, madame ! — Mon mari ? C'est aussi lui, je n'en ai pas d'autre que lui. — Quoi ! ma nièce, il n'y a pas déjà près de cinq mois que M. de Lignolle vous a vraiment épousée !— Épousée ! jamais... C'est lui, ma tante. — Comment ? c'est lui qui, même la première fois ?........ — Oui, ma tante, c'est lui. — Ah ! l'heureux petit drôle ! Quel épouseur que ce monsieur-là !.. Mais vous êtes grosse, ma nièce ! — Eh bien ! ma tante, c'est encore lui......... — Mais....— Il n'y a plus de mais, ma tante ! ç'a toujours été lui, ce sera toujours lui, ce ne sera jamais que lui. — Jamais que lui ! Et comment ferez-vous ?...— Comme j'ai déjà fait, ma tante, avec lui. — Mais quel flux de paroles ! Voyez un peu ! — Je ne vois que lui ! — Mais au moins enten-

dez..... — Je n'entends que lui ! — mais
écoutez donc. — Je n'écoute que lui ! —
Allons, ma nièce, quand vous voudrez....
—Je ne veux que lui ! — Vous ne voulez
pas que je vous parle un moment ? — Je
ne parle qu'à lui ? — Eléonore, vous ne
m'aimez donc pas ? — Je n'aime... Ah ! si
fait, je vous aime aussi. — Eh bien, laisse-
moi donc m'expliquer : dis-moi, malheureuse ! comment feras-tu pour cacher ta
grossesse ?—Je ne la cacherai pas. — Mais
votre mari vous demandera qui a fait cet
enfant ? — Je lui répondrai que c'est lui.—
Et s'il n'a jamais couché avec toi, comment veux-tu qu'il te croie ? — Eh mais,
c'est à cause de cela qu'il me croira. —
Comment? C'est à cause de cela ? — Sûrement, à cause de cela.—Allons, ma nièce,
voilà que nous faisons ensemble des quiproquos. Vous êtes si vive, qu'il est impossible de s'expliquer avec vous !—Je suis
vive ! Vous ne l'êtes pas, peut-être ? —Eh !
le moyen de ne pas l'être avec une écervelée....... Voyons : faites-moi la grâce de
m'expliquer de quelle manière on peut s'y
prendre pour persuader à un homme qui

n'a jamais épousé sa femme, que pourtant il lui a fait un enfant ? — Regardez si ce n'est pas désespérant !... Mais, ma tante, faites-moi vous-même la grâce de m'expliquer pourquoi vous imaginez que j'irai faire à M. de Lignolle un raisonnement aussi bête que celui-là ? — Ma nièce, c'est vous qui me le dites. — Tout au contraire ! je me tue de vous crier que je lui déclarerai que c'est *lui* qui m'a fait cet enfant. — Ah ! je comprends enfin ; *lui*, c'est monsieur ? — Eh ! oui ; quand je dis *lui*, c'est *lui*. — Ma foi, je ne l'aurois pas deviné, ma nièce. Quoi ! vous irez vous-même annoncer bonnement à votre mari, que vous l'avez fait... — Ce qu'il mérite d'être. — Dans un sens, je ne dis pas non, ma nièce. — Dans tous les sens possibles, ma tante. — Ah ! cela c'est autre chose. Je ne puis, madame approuver vos désordres. — Mes désordres ! — Revenons, revenons à l'article important. Si ton mari se fâche ? — Je m'en moquerai. — S'il te veut faire enfermer ? — Il ne pourra pas. — Qui l'en empêchera ? — Ma famille, vous, et lui. — Ta famille sera contre toi. Moi,

je te chéris trop, pour te faire jamais le
moindre mal; mais, dans une affaire aussi
malheureuse, je serai du moins forcée de
rester neutre. Il ne te restera donc que
monsieur.—S'il me reste, je n'en demande
pas davantage. — Oui, il te restera... pour
te défendre. Mais le pourra-t-il? Et si l'on
t'enferme....... — Non, non. Tenez, ma
tante, j'y pensois cette nuit. J'ai dans ma
tête un projet....... — Un beau projet, je
crois! Dis pourtant, dis.— Je ne peux pas,
il n'est pas temps. — Eh bien! ma nièce,
je vais vous enseigner, moi, le seul parti
qu'il vous reste à prendre. — Voyons. — Il
faut, le plutôt possible, madame, vous
faire épouser par M. de Lignolle, et...—
Ça d'abord, ça ne se peut pas. — La raison?—La raison est que ça ne se peut pas;
mais, quand cela se pourroit, je ne le voudrois pas. A présent, ma tante, je sais ce
que c'est; jamais votre nièce ne sera dans
les bras d'un homme. — Jamais dans les
bras d'un homme! cependant, lui?.....—
Lui, ma tante, s'écria-t-elle avec passion,
ce n'est pas un homme, c'est mon amant!
—Votre amant! ne voilà-t-il pas une

17*

bonne raison à donner à votre mari? —
Supposons que la raison soit mauvaise; au
moins est-il certain qu'elle vaut encore
mieux qu'une mauvaise action. N'en est-ce
pas une indigne, n'est-ce pas une horrible
perfidie que d'aller froidement se partager
entre deux hommes pour trahir l'un plus
à son aise, et retenir l'autre en le désespérant?.... car, j'en suis sûre, s'écria-t-elle
en m'embrassant, il en seroit désespéré.
— Si pourtant vous vouliez m'écouter,
madame, vous verrez que votre tante ne
vous conseille ni le libertinage, ni la perfidie. Vous m'avez interrompue, comme
j'allois vous dire qu'en vous faisant épouser par M. de Lignolle, il falloit tout d'un
coup changer de conduite et rompre cette
intrigue..... — Une intrigue! Fi donc, ma
tante. Dites une passion qui fera le destin
de ma vie! — Qui en fera le malheur, si
vous n'y prenez garde. — Point de malheur avec lui, ma tante.—Toujours du malheur où il y a du crime, ma nièce..........
Écoute, ma petite, je suis bonne femme,
j'aime à rire; mais ceci passe la raillerie.
Vois d'abord combien de dangers t'en-

vironnent....... — Je ne connois point de
dangers, quand il s'agit de lui. — Et ta
conscience, Eléonore? — Ma conscience
est tranquille. — Tranquille! cela ne se
peut pas. Vous qui ne mentiez jamais,
vous mentez..... Ecoute, Eléonore, je te
chéris comme mon enfant. Je t'ai toujours
idolâtrée! trop, peut-être! Je t'ai peut-être
gâtée; mais tâche de te souvenir comme,
dans les choses essentielles, je me suis toujours attachée à te donner les meilleurs
principes. Tiens, ma fille, tu vas aujour-
d'hui couronner la Rosière.

Oh! ne m'en parlez pas, s'écria-t-elle
en se précipitant dans les bras de sa tante,
et saisissant ses mains, dont elle se couvrit
le visage! Oh! ne m'en parlez pas! Et
moi, pénétré du ton dont ces paroles furent
prononcées : Madame la marquise, c'est
à moi, c'est à moi seul que vous devez
tous vos reproches Excusez-la, plaignez-
la, ne l'accablez pas. O mes enfans! répondit-elle, si vous ne voulez que m'at-
tendrir, cela ne vous sera pas difficile. On
me fait pleurer comme on me fait rire;
tout de suite... Soit, j'y consens, pleurons

tous trois... Écoutez cependant, écoutez, ma nièce : Vous souvenez-vous de l'année passée ? A la même époque, au même jour, je vous disois : Éléonore, je suis fort contente de toi. Mais bientôt, ma fille, d'autres temps amèneront d'autres obligations. On n'a pas toujours dans la vie des devoirs aussi doux à remplir, que celui de secourir l'indigence. Le temps approche où tu t'en imposeras peut-être, qui te séduiront d'abord, et te deviendront ensuite pénibles...

La comtesse, à ces mots, quitta brusquement son attitude humiliée, et du ton le plus animé : Qui te séduiront d'abord ! répéta-t-elle. Eh ! comment m'auroient-ils séduite ? on ne me les fit point connoître. On conduisit gaiement au sacrifice une innocente victime qui promit ce qu'elle ne connoissoit pas. Vous, madame la marquise, vous qui me parlez ici de devoir, oseriez-vous affirmer qu'alors vous avez fait le vôtre ? Quand mes parens, engoûés des prétendus avantages de ce mariage fatal, vinrent vous présenter M. de Lignolle, vous me défendîtes par vos représentations, je le sais ; je sais que votre consentement vous fut; pour ainsi dire, arraché : mais qu'importoit votre trop foible résistance ? Ne deviez-vous pas la fortifier de la mienne? Ne deviez-vous pas me tirer à l'écart, et me dire : Ma pauvre enfant, je t'avertis qu'ils vont te sacrifier; je t'avertis qu'ils trompent ton inexpérience par d'éblouissantes promesses. Veux-tu, pour le frivole avantage d'être présentée à la cour quelques mois plutôt, d'aller dès demain aux assemblées, aux bals, aux spectacles de la capitale, veux-tu faire à jamais le sacrifice de ta liberté la plus précieuse, de la seule vraie liberté, celle de ta personne et celle de ton cœur? Te trouves-tu si mal avec moi? Es-tu donc pressée de me quitter? Tiens, il n'est plus temps de fonder ta sagesse sur ton ignorance; et puisqu'ils veulent t'abuser, il faut que je t'éclaire. Quand une fille naturellement vive se montre au printemps émue du spectacle de la nature, est surprise dans de fréquentes rêveries, avoue des inquiétudes secrètes, se plaint d'un mal qu'elle ignore, on dit communément qu'il lui faut un mari. Mais moi, qui te connois, moi qui t'ai vue toujours caressée de ceux

qui t'entouroient, répondre à leur attachement par un attachement égal, payer més
soins de reconnoissance, et me chérir autant que je t'aimois; pleurer les malheurs
d'un vassal, et même les peines d'un étranger; je crois que la nature, avec la vivacité
bouillante, t'a donné la tendre sensibilité;
je crois que ce n'est pas seulement un mari
qu'il te faut, je crois qu'il te faut un amant.
Néanmoins on s'obstine à te faire épouser
M. de Lignolle. Tu n'as pas encore seize
ans, il en a cinquante passés : ta jeunesse
à peine commencera, que son automne
sera fini. Comme tous les vieux libertins,
il deviendra valétudinaire, infirme, dur,
grondeur, jaloux; et pour comble de malheur, six fois par an peut-être tu seras
obligée, obligée de supporter le dégoût
de ses embrassemens...... Car ma tante ne
pouvoit pas deviner qu'il me resteroit du
moins dans mon infortune cette consolation, que mon prétendu mari ne seroit jamais capable de l'être... — Jamais capable, ma nièce, s'écria-t-elle en pleurant?
— Jamais, ma tante. — Fi! le vilain
homme!...

—Vous ne pouviez pas le deviner, ainsi vous deviez me dire : Six fois par an peut-être tu seras obligée, obligée de supporter le dégoût de ses embrassemens ; et pourtant, s'il se rencontre un jeune homme joli, spirituel, sensible, épris de tes charmes, digne de toi, tu seras encore obligée, obligée de repousser ses hommages qui t'outrageront, et son image qui te poursuivra. Pour rester vertueuse, il faudra que tu contraries continuellement le plus doux penchant de ton cœur et la plus sacrée des lois de la nature ; ou bien on viendra sans relâche crier à ton oreille ces mots terribles : Sermens ! devoirs ! crimes ! malheurs ! Ainsi tu pourras languir pendant trente ans et plus, réduite aux cruelles privations d'un célibat forcé, et condamnée aux devoirs plus cruels d'un tyrannique hymen; et si tu succombes aux séductions d'un amour invincible, tu pourras être enterrée toute jeune dans la solitude d'un couvent, pour y périr bientôt chargée du mépris public et de la haine de tes parens. Que si vous m'eussiez ainsi parlé, madame la marquise, je me serois écriée : Je ne veux pas de votre M. de Lignolle ; je n'en veux pas ! j'aime mieux mourir fille ! et ils ne m'auroient pas mariée malgré moi ! et ils m'auroient tuée peut-être ; mais ils ne m'auroient pas conduite à l'autel !

Jamais capable ! répéta la marquise en pleurant. Ah ! le vilain homme ! ah ! ma pauvre petite, comment vas-tu faire ! Pauvre petite ! il n'y a donc pas de remède ! Jamais capable ! Voilà qui est bien différent ! Cela change beaucoup... Mais non, cela ne change rien. Ma chère enfant, tu n'en es seulement qu'un peu plus à plaindre......... Éléonore, vous n'en devez pas moins, tout-à-l'heure et pour toujours, renoncer au chevalier. — Renoncer à lui ? plutôt mourir.

Dame ! je ne peux pas frapper plus fort, cria la petite de Mésanges que nous n'avions pas entendue. Allez-vous promener, lui répondit l'impatiente comtesse. — Ah ! mais, c'est que j'en viens. — Retournez-y. —Ah! mais, c'est que je suis lasse. — Asseyez-vous sur le gazon. — Ah ! dame ! mais c'est que je m'ennuie toute seule. Sommes-nous faites pour t'amuser, lui

demanda la marquise ? — Pas vous, si
vous voulez, ma cousine ; mais ma bonne
amie... — Votre bonne amie ?... Laissez-
nous. — C'est qu'il me semble qu'il y a
déjà bien long-temps que je n'ai causé
avec elle. — Allez, mademoiselle, allez
m'attendre au salon.— Ah ! oui, car j'entends bien du monde qui se lève. —
Allez.

Bien du monde qui se lève, reprit madame d'Armincour ! Il est temps aussi que
nous nous levions, et que cette demoiselle
s'habille et s'en aille.—S'en aille! ma tante.
—Eh oui ! ma nièce. Croyez-vous qu'il soit
possible qu'elle paroisse à cette fête ?—
Qui peut donc l'en empêcher ?—Comment!
n'y a-t-il pas ici cinquante personnes qui
étoient hier à Longchamps, et qui la re-
connoîtroient comme je vous reconnois ?
—Oh! que non !—Ne dites pas non! c'est
une chose certaine, et vous seriez perdue. — Qu'importe ? pourvu qu'il ne s'en
aille pas. — Quand je l'entends raisonner
ainsi, les cheveux me dressent sur la tête.
— Quoi ! ma tante, ne suis-je pas la maîtresse ?..... — D'ailleurs, madame, vous

7.   18

êtes obligée de le renvoyer ; c'est votre devoir. — Mon devoir ! le voilà revenu ce
mot..... — Allons, interrompit la marquise en me jetant le drap sur le nez, il
faut prendre un parti ; car, avec elle, les
disputes ne finissent pas.

Madame d'Armincour, en se hâtant de
passer une camisole et un jupon, s'écria :
Bon Dieu ! voilà que j'y songe; chacun se
demanderoit où cette demoiselle a couché.
Chacun sauroit que c'est.... là ! Ne diroit-
on pas que j'ai aussi quelque chose de com-
mun avec ce morveux, moi ? Je serois
pour aujourd'hui l'héroïne de l'aventure...
d'une avanture galante, à soixante ans
passés ! c'est s'y prendre un peu tard. Allons, madame, vous sentez bien qu'il s'a-
git moins de m'épargner un ridicule, que
de sauver votre réputation, que de vous
sauver vous-même. Il faut qu'il parte.......
Non, ma nièce, je ne souffrirai pas que devant moi, vous soyez sa femme de chambre.
Je l'habillerai pour le moins aussi vite et
aussi décemment que vous le pourriez faire.
N'ayez aucune espèce de crainte, je ne
suis ici que *le chien du jardinier*.

Il y eut , tout le temps que dura ma toilette , une contestation fort vive entre la tante , qui vouloit toujours que je partisse , et la nièce, qui ne le vouloit toujours pas.

Cependant on vint avertir madame de Lignolle qu'il étoit nécessaire qu'elle descendit , pour ordonner quelques derniers arrangemens relatifs à la fête. Je suis à toi tout-à-l'heure, me dit-elle. Un moment après , la tante aussi me quitta , et revint avant la nièce, qui pourtant ne tarda pas. Un bon quart-d'heure à-peu-après s'écoula, et je n'ai pas besoin de dire que la dispute recommencée alloit toujours s'échauffant, quand on vint de nouveau déranger la comtesse. Obligée de me quitter encore , elle m'assura du moins que ce seroit l'affaire d'une minute. Mais elle étoit à peine descendue, lorsque sa tante me dit : Monsieur, je vous crois un peu moins déraisonnable qu'elle; vous devez sentir combien votre séjour ici peut la compromettre. Cédez à la nécessité, cédez à mes sollicitations, et , s'il le faut, à mes prières. Elle m'entraîna, elle me conduisit , par des détours qui m'étoient incon-

nus , dans une espèce de basse-cour, où
sa voiture m'attendoit. Comme j'y montois,
le hasard amena près de nous mademoiselle de Mésanges : Ma bonne amie , vous
vous en allez ? — Hélas ! oui , ma bonne
amie ; faites, je vous en prie, mes complimens à Mademoiselle Des Rieux. — Je
n'y manquerai pas... Ah ça ! mais toujours
vous m'assurez bien qu'elle ne tardera
pas à devenir bonne à mari..... — Taisez-vous, mademoiselle, interrompit brusquement la marquise ; et si jamais vous ré
pétez de pareils...

Je n'entendis plus rien , parce que le
cocher, qui avoit ses ordres, partit plus
prompt que l'éclair. Il me reconduisit jusqu'à Fontainebleau, où je pris la poste.
A peine étoit-il quatre heures du soir ,
quand je rentrai dans Paris. Madame de
Fonrose me tenoit parole : mon père n'a-
voit pas encore paru chez lui ; et moi,
profitant de quelques momens de liberté ,
je quittai mes habits de femme, et j'allai
chez Rosambert. Je le trouvai beaucoup
mieux ; il pouvoit déjà, sans le secours de
personne , se promener dans son apparte-

ment, et même faire plusieurs fois le tour
de son jardin. Le comte commença par
m'accabler de reproches. Je lui représentai que tous les matins régulièrement on
étoit venu chez lui, de ma part, savoir de
ses nouvelles. — Mais vous aviez promis
de venir vous-même. — Mon père ne m'a
pas quitté. — Cela ne vous a pas empêché d'aller ailleurs. Au reste, je conviens
que la petite comtesse mérite la préférence.
— La petite comtesse ? — Madame de Lignolle, oui. Ne vous l'ai-je pas dit, que
désormais toute femme qui vous auroit
seroit une femme affichée...? Je suis vraiment charmé que la marquise ait une rivale digne d'elle....Car on dit la comtesse
adorable...... Malheureusement c'est encore un enfant sans usage, sans art, sans
méchanceté. La marquise l'écrasera, dès
que............. A propos, je vous fais mon
compliment, vous êtes infiniment bien
avec M. de B+**. D'abord tout Paris l'a
vu riant à vos côtés le jour de votre apo-
théose ; et puis l'excellent mari ne cache
à personne que vous êtes un charmant
garçon ; et de peur que la chose ne paroisse

18*

pas encore assez comique, il dit à quiconque veut l'entendre, que c'est moi qui suis un indigne homme. Il m'en veut! on assure qu'il m'en veut beaucoup! C'est peut-être encore un duel qui me revient. Mais vous en savez quelque chose, chevalier? Le marquis vous a long-temps parlé. — Oh! le marquis m'en a tant dit de toutes les manières..... — Mais encore... Allons, Faublas, contez-moi cela du moins. J'ai besoin de rire, et vous devez tout essayer pour amuser un ami convalescent. — Ma foi non. Je vous avoue que je suis très-éloigné de vouloir vous amuser jamais aux dépens de la marquise : et même, je vous le répète, Rosambert, c'est toujours avec peine que je vous entends me parler d'elle. — Vous avez tort. Je suis, dans ce moment-ci surtout, son plus enthousiaste admirateur. Vraiment! je me le disois tout-à-l'heure : il faut qu'à toutes ses qualités déjà si nombreuses, cette femme-là réunisse maintenant la prudence. N'êtes-vous pas étonné comme moi, de la profondeur du calcul qu'elle avoit fait, que si je lui échappois, il ne falloit pas que je

pusse échapper à son mari? Chevalier,
vous serez témoin. — Témoin? — Oui,
très-incessamment. — Très incessamment!
vous m'aviez dit que vous ne retourneriez
point à Compiègne? — Témoin de mon
combat avec le marquis : Chevalier! soyez
tranquille! nous sommes convenus que je
ne me battrois point avec la marquise.
Comment pouvez-vous me soupçonner encore d'être assez fou pour me prêter à la
bizarre fantaisie de cette femme, qui s'est
mis en tête qu'elle devoit attaquer de
braves jeunes gens avec leurs armes? C'est
que, voyez-vous, plus j'y pense, plus je
reconnois qu'il convient, pour la sûreté
publique, d'arrêter le mal dans son principe. Ceci deviendroit d'un trop dange-
reux exemple. Comment! chacune n'auroit qu'à vouloir se mettre à la mode,
toutes les bonnes fortunes finiroient donc
par des coups de pistolet? Et jugez quel
tapage on entendroit chaque jour aux
quatre coins de Paris.

Rosambert, qui me vit sourire, me fit,
sur celles qu'il appeloit mes maîtresses,
cent plaisanteries et cent questions. Je finis

par me prêter de bonne grâce à sa gaieté ;
mais sa curiosité n'eut pas lieu d'être satisfaite.

Mon père ne revint à l'hôtel que deux
heures après moi ; mon père me fit entendre qu'il étoit fâché de m'avoir laissé
seul toute la journée : je lui représentai
respectueusement qu'il seroit trop bon de
se gêner pour son fils. Il me demanda
comment j'avois passé la nuit. Afin de ne
pas mentir, je répondis : Mal et bien,
mon père. — Le sommeil n'a pas été profond ? reprit-il. — Profond ! pardonnez-
moi ; mais souvent interrompu. — Vous
avez éprouvé de grandes agitations ? — De
grandes agitations ! oui, mon père. —
Les rêves ont été bien fâcheux ?—Oh ! bien
fâcheux ! Il y en a eu un surtout qui, vers
le milieu de la nuit, m'a singulièrement
tourmenté.—Mais le matin, du moins, vous
avez tranquillement reposé ?—Le matin...
non. J'étois inquiet, le matin.—La fatigue,
apparemment ? — Un peu de fatigue
peut-être, et encore les suites de ce rêve.
— Racontez-le-moi donc. — Mon père....
c'étoit.... c'étoit une femme...—Toujours,

des femmes ! eh ! mon fils, songez à la vôtre. — Ah ! depuis sept heures du matin (c'étoit l'heure à laquelle je m'étois mis en route), depuis sept heures je vous assure que je me suis presque continuellement occupé de son souvenir. Mon père, quand donc recevrai-je de ses nouvelles ?

— Vous savez combien j'ai mis de monde en campagne, et sous quinzaine je compte moi-même partir avec vous. — Pourquoi pas plutôt ? Mais, répliqua-t-il d'un air embarrassé, je ne suis pas prêt. Il faut d'ailleurs attendre... que vous vous portiez mieux... que les beaux jours soient tout-à-fait venus.—Les beaux jours ! ah ! loin de Sophie, viendront-ils jamais ?

Quand je parlois ainsi, j'espérois pourtant quelque bonheur pour le lendemain ; le lendemain étoit ce lundi vivement désiré, qui devoit, pendant quelques instans, nous voir, mon Éléonore et moi, réunis. Hélas ! notre douce attente fut trompée. Madame de Fonrose, qui vint le soir faire à mon père une courte visite, trouva le moment de me dire : Il n'y a pas eu moyen; sa tante est arrivée le matin chez elle, où elle est encore.

Le mardi ce fut tout de même, et le mercredi j'eus du moins la consolation de recevoir un billet de Justine. Il me disoit qu'avec le passe-partout qui m'étoit envoyé j'ouvrirois la porte-cochère et toutes les portes d'une petite maison neuve située à l'entrée de la rue du Bacq, du côté du Pont-Royal. M. le vicomte me prioit d'être là sur les sept heures du soir.

Bon ! madame de B*** n'est donc pas fâchée contre moi. Depuis vendredi je n'avois pas entendu parler d'elle. Ce long silence, après notre aventure, commençoit à m'inquiéter. Faublas, elle n'est pas fâchée ! elle n'est pas fâchée, Faublas ! Heureux jeune homme, applaudis-toi !... et je le baisai, le billet de Justine, et je fis un saut de joie.

Quelle bonne nouvelle, demanda mon père en entrant ?—Ah ! c'est que.... c'est que je vois le beau temps. Je pense que je pourrai cette après-dinée aller faire un tour. — Avec moi, oui. — Encore avec vous, mon père ? — Monsieur !.... — Pardon... Cependant voulez-vous me rendre absolument esclave ? m'empêcher de voir, même un ami ? — Ce n'est pas un ami que vous iriez voir. — Le vicomte, mon père. — M. de Valbrun, à la bonne heure ; mais de là ? — Je vous promets de ne pas mettre le pied chez la comtesse. — Vous m'en donnez votre parole ? — Ma parole d'honneur. — Eh bien, soit, j'y compte. Et je baisai les mains de mon père, et je fis encore un saut de joie.

FIN DU TOME SEPTIÈME.

De l'Imprimerie d'EVERAT, rue du Cadran, n°. 16.

Imprimé en France
FROC030106191020
25456FR00012B/253

9 782329 472607